D0588476

Nous remercions la SODEC
et le Conseil des Arts du Canada
de l'aide accordée à notre programme de publication
ainsi que le gouvernement du Québec
– Programme de crédit d'impôt
pour l'édition de livres
– Gestion SODEC.

 Patrimoine **Canadian**
canadien **Heritage**

  Conseil des Arts **Canada Council**
du Canada **for the Arts**

Nous reconnaissons l'aide financière
du gouvernement du Canada
par l'entremise du Fonds du livre du Canada
pour nos activités d'édition.

Illustration de la couverture :
Luc Normandin

Édition électronique :
Infographie DN

Membre de l'Association nationale des éditeurs de livres

ASSOCIATION
NATIONALE
DES ÉDITEURS
DE LIVRES

Dépôt légal : 4e trimestre 2002
Bibliothèque nationale du Canada
Bibliothèque nationale du Québec

8 9 10 11 12 13 14 15 IM 098765432

Au sud
du Rio Grande

Tome 1

**DE LA MÊME AUTEURE
AUX ÉDITIONS PIERRE TISSEYRE**

Le silence d'Enrique, tome 2, Conquêtes 100.
Un sirop au goût amer, tome 3, Conquêtes 112.

Données de catalogage avant publication (Canada)

Vintze, Annie

    Au sud du Rio Grande

    (Collection Conquêtes; 91)
    Pour les jeunes de 12 ans et plus.

    ISBN 978-2-89051-840-7

    1. Titre II. Collection: Collection Conquêtes; 91.

PS8593.157A9 2002   jC843'.6   C2002-941716-3
PS9593.157A9 2002
PZ23.V56Au 2002

Annie Vintze

Au sud
du Rio Grande

Tome 1

roman

**ÉDITIONS
PIERRE TISSEYRE**
www.tisseyre.ca

155, rue Maurice
Rosemère (Québec) J7A 2S8
Téléphone: 514-335-0777 – Télécopieur: 450-437-3302
Courriel: info@edtisseyre.ca

Pour Amélia,
ma fleur bleue.
Et Aurélie,
mon étoile filante.

1

SANTA TEQUILA DEL CACTUS

— **S**ix semaines? SIX SEMAINES!!! Mais tu es tombée sur la tête! Tu ne penses tout de même pas que je vais passer la totalité de mes vacances dans ce bled perdu!

— Écoute… D'abord, il te restera au moins une semaine à ton retour. Ensuite, ça va faire plaisir à ta grand-mère. Tu sais, à son âge, on ne sait jamais…, insiste maman.

— Bien oui… ça doit faire au moins dix ans que tu me répètes la même chose et elle est toujours là, plus en forme que jamais. De toute façon, arrête de me parler de grand-maman. Tu veux que j'aille avec toi au Mexique pour que je ne reste pas ici tout seul.

7

C'est la vraie raison, pas vrai ? Ça n'a rien à voir avec ta mère, avoue-le donc !

— Je n'ai rien à avouer, et change de ton quand tu me parles !

— C'est ça, bonne idée, je vais changer d'air en même temps !

La porte claque bruyamment. Je saute sur ma planche à roulettes et me dirige vers le parc où j'espère bien rencontrer l'un ou l'autre de mes amis. Je fulmine. Comment peut-elle encore et toujours tout décider pour moi ? J'ai quinze ans après tout et je peux parfaitement me débrouiller tout seul.

Le parc est désert. Pas étonnant, il n'est pas encore dix heures du matin. Comment ai-je pu penser trente secondes que mes amis s'y trouveraient à cette heure-ci ? Ils dorment, eux, le dimanche matin. Ils ne se font pas réveiller par une «fatigante» pour se faire annoncer, comme s'il s'agissait d'une bonne nouvelle en plus : «Youppi, fiston ! Paul (c'est son «chum») a réussi à se libérer jusqu'à la mi-août ! Nous pourrons donc partir dès jeudi prochain, le 1er juillet. Es-tu content ? » Sûr que je suis content !

Je m'allonge sur le banc du parc. Il a plu pendant la nuit, et je sens l'humidité qui transperce lentement mais sûrement mon t-shirt.

Bien oui ! Certain que je suis content ! Je « capote » même ! J'ai travaillé comme un malade en maths et en sciences physiques pour éviter les cours d'été dont la menace a alimenté quasiment toutes mes conversations avec maman depuis le bulletin de décembre. Sans compter les profs qui, inlassablement, nous rabâchent, après chaque examen raté : « Vous allez échouer à l'examen du ministère de l'Éducation. »

Toujours le même disque ! Peu importe la matière ! De plus, au cours des soirées de parents, c'est encore la même ritournelle : « Vous savez, madame, votre fils est intelligent, mais il n'étudie pas. Il se contente du minimum. Le problème, c'est que ça risque d'être insuffisant et il devra reprendre son cours. »

Résultat ? Toute l'année, c'est la même rengaine : Francis, as-tu des devoirs ? Francis, as-tu un examen à préparer ? Ne t'organise pas pour échouer, car ton cours d'été, je te préviens, c'est toi qui vas le payer. Ne compte pas sur moi. Évidemment, je vais le payer… et avec quel argent ? Elle ne veut même pas que je travaille, afin de mieux me consacrer à mes études, selon elle ; afin de m'empêcher de m'acheter un scooter, selon moi.

Quand je pense que ça fait au moins deux mois que je me tape des aides pédagogiques, que je fais presque tous mes devoirs – enfin,

9

ceux qui comptent – et que je réussis *in extremis* TOUTES mes matières, et pour me féliciter, me récompenser : six semaines au Mexique, dans un «Bled by the Cactus», avec le gros Paul et, en prime, Cynthia, sa fille insupportable, qui me colle comme une sangsue depuis que je la connais ! Ah non ! Ça, jamais ! C'est absolument hors de question : je n'y vais pas.

De plus, que vont dire mes amis ? On devait passer l'été au nouveau parc pour ados que la Ville a finalement construit au bout de ma rue. Il y a plein de nouvelles rampes pour les planches et les patins. Tout le monde compte sur moi. Et puis, il y a Marie-Ève, la sœur de Sébastien. Comment vais-je faire pour enfin sortir avec elle si je ne suis même pas là ? Elle va finir avec ce con de Trottier, si je ne me grouille pas un peu.

Les paroles de maman résonnent encore dans ma tête. Je regarde défiler les nuages au-dessus de moi. Le 1er juillet ! Elle a bien dit qu'on partait le 1er juillet ? Le jour du party de Sébas ! C'est sa fête et il y aura plein de monde.

Ça fait des semaines que j'attends l'occasion de danser avec Marie-Ève. Et maman, pendant ce temps, décide avec son «chum» de partir justement ce jour-là ! Ça ne peut pas lui passer par la tête que, moi aussi, j'ai une vie sociale, des projets, des amis, une fille superbe aux yeux bleus à laquelle je pense tout le temps… et que j'en ai rien à foutre de la famille de Santa Tequila del Cactus.

Il faudrait sans doute que je lui explique mes raisons. Elle pense toujours que je ne suis jamais d'accord avec ses projets ; mais elle décide sans cesse de tout, toute seule, sans même m'en parler. Comme si le fait de m'avoir mis au monde lui donnait automatiquement le droit de se mêler de mes affaires. Comme si le simple fait d'avoir trente ans de plus que moi lui conférait d'emblée la science infuse et le savoir universel.

Inutile de discuter avec elle et de chercher un terrain d'entente ; je connais déjà la réponse : «Tu viens avec nous et ça finit là. Tu es trop jeune pour rester tout seul si longtemps.» Et je m'imagine en train de la supplier : «Oui, mais maman… mes amis, mon été, mes projets, les partys… Marie-Ève!» Inutile même de penser à aborder ces sujets avec ma mère. Ça fait un siècle que je n'ai pas vraiment discuté avec elle… Si ce n'est pour lui demander ce qu'on mange ce soir ou bien si elle a lavé mon jeans, ou quelque chose du même genre.

Bref, je ne me vois vraiment pas lui expliquer que je ne veux rien savoir de son voyage à cause d'une paire d'yeux incroyables que je vois partout où je promène mon regard. Ça n'a pas dû lui passer par la tête trente secondes que son petit Francis a davantage le goût de passer ses vacances tant méritées sur la rue des Lilas, à Laval, que de parcourir la moitié du continent avec son «chum» et la fille insignifiante de celui-ci.

Au moment où je me demandais si je ne serais pas plus heureux à suivre des cours d'été qui m'obligeraient à rester ici, j'entends quelqu'un qui m'interpelle :

— Hé, Francis ! Qu'est-ce que tu fais là, à cette heure-ci ?

C'est Sébastien qui se pointe sur son scooter tout neuf. Je soupire :

— Rien ! Je regarde les nuages passer !

— Ouais, ça n'a pas l'air d'aller fort. T'as reçu ton bulletin ou quoi ? demande-t-il en riant bêtement.

Bon, un autre qui ne pense qu'à ça. Décidément, ils ont tous la même maladie.

— Bien non, ça n'a rien à voir. Je sais que je passe de toute façon. C'est pas ça… c'est ma mère !

— Laisse-la faire ! Ça fait mille fois que je te dis qu'elles sont toutes pareilles. C'est à cause de leurs hormones… leur machin-chose.

— Ménopause, tu veux dire.

— C'est ça, peu importe, c'est pareil. Au moins, toi, t'as juste ta mère avec qui négocier.

Moi, en plus, j'ai mon père qui grimpe dans les rideaux parce que ça fait deux semaines que je n'ai pas tondu le gazon….

— Justement! Si mon père était encore là, je ne serais certainement pas obligé d'aller passer tout l'été au Mexique, avec le «twit» de ma mère et son emmerdeuse de fille.

— C'est plate ça… Vous partez quand?

— Malheureusement… le jour de ton party, jeudi prochain, dis-je avec hésitation, craignant sa réaction.

— QUOI!!! beugle-t-il. Tu ne seras pas là! Mais comment peux-tu me faire une chose pareille? J'ai déjà invité tout le monde… Et Marie-Ève? Qu'est-ce que tu en fais? En tout cas, si tu te la fais piquer, tant pis pour toi. Tu ne t'imagines pas qu'elle va passer l'été à poireauter en attendant que tu reviennes.

J'ai bien besoin de ce sermon pour me remonter le moral alors que je commence tout juste à avaler la couleuvre.

— Ah! parce que tu penses peut-être que ça fait mon affaire? Qu'est-ce que tu veux que je fasse, hein? Est-ce que j'ai le choix? Voilà une heure que je suis là à essayer de trouver une solution et toi, au lieu de me réconforter, tu viens tourner le fer dans la plaie. Et ne mêle pas ta sœur à mes emmerdes. Il n'y a pas qu'elle sur la planète, figure-toi!

— Bon, bon, ça va ! Ne le prends pas mal ! Tout va s'arranger.

— Bien oui, c'est ça ! Le Canada va déclarer la guerre au Mexique ou bien un tremblement de terre va faire disparaître l'autoroute…

— Parce que vous y allez en auto !

Sébastien me regarde avec le même air horrifié que si je lui avais annoncé que j'étais atteint du sida.

— Te rends-tu compte ? Tu vas te taper quatre mille kilomètres, trois jours d'auto enfermé avec eux, nuit et jour, au lieu de rester ici, avec nous autres au parc ou de te baigner chez moi. Je suppose que le « chum » de ta mère n'a même pas l'air conditionné dans son auto et qu'il écoute des cassettes de Francis Cabrel !

Je sens la moutarde me monter au nez et je hausse le ton :

— Charrie pas, quand même. Après tout, qu'est-ce que ça peut te faire, ce qui m'arrive ? En vérité, t'es en maudit parce que je ne serai pas présent à ton party et qu'à cause de cela Maude et Véronique risquent de ne pas y aller non plus. C'est ça, hein ? Dans le fond, tu t'en fous de Marie-Ève, et de moi encore plus. Tout ce qui t'intéresse, ce sont tes petites affaires, ta « christie » de fête, ton scooter et les filles avec qui je me tiens. Pas vrai ? De plus, t'es frustré parce que t'as pas de blonde. C'est ça, ton problème, si tu veux savoir.

Son air éberlué de tout à l'heure se transforme en expression de mépris. Après m'avoir toisé quelques secondes qui me paraissent une éternité, il me tourne le dos, remet son casque et disparaît en faisant pétarader son scooter.

Quant à moi, toujours sur mon banc humide, mais assis cette fois, je me prends la tête à deux mains et je passe mes doigts dans mes cheveux noirs et lisses. J'essaie de comprendre. Pourquoi ai-je été si agressif avec Sébas ? Et lui, pourquoi n'a-t-il pas essayé de m'encourager un peu ? Au lieu de cela, il n'a pas cessé de dire des niaiseries, de me stresser encore davantage avec l'histoire de sa sœur et, pour ajouter l'injure à l'insulte, il essaie de m'humilier parce qu'on prend l'auto. On n'a pas tous les moyens de prendre l'avion, comme lui, parce que son père est plein aux as.

Et on n'a pas tous perdu son père, comme moi, à l'âge de sept ans, dans un bête accident de la route.

Le jour du départ arrive bien trop vite selon moi. Je place mon baladeur et trois ou quatre disques sur le dessus de mon sac. Quelques livres s'entassent sur une tablette. J'hésite. Je lis si peu d'habitude… Par contre, ça risque d'être long dans l'auto. Je décide finalement de les ajouter à mes affaires. J'entends les portes d'auto claquer et, par la fenêtre, j'aperçois Cynthia dans l'entrée de garage. Ses cheveux aux mèches blondes sont relevés au-dessus de sa tête en une coiffure compliquée. Elle ajoute à la hâte une touche de brillant sur ses lèvres violacées et tire sur son t-shirt mauve dont les coutures luttent désespérément pour tenir le coup. Puis elle s'avance vers la porte d'un pas assuré, malgré ses grosses sandales aux semelles plates-formes.

Ma parole, elle a dû prendre au moins vingt livres depuis Noël. Elle doit peser presque autant que son père dont j'entends d'ailleurs la voix dans l'escalier.

Après avoir soupiré une dernière fois dans la tranquillité de ma chambre, je descends l'escalier qui mène au rez-de-chaussée.

— Salut tout le monde ! dis-je avec le plus de conviction possible.

— Franciiis ! crie Cynthia comme si elle ne m'avait pas vu depuis une éternité.

* Sylvia : maman de Francis

Puis elle me saute au cou et me plaque un baiser visqueux à saveur «explosion raisin» sur la joue gauche.

— Salut… ça va? dis-je avec un léger mouvement de recul.

— Oui, oui, sauf qu'on est partis si vite que je n'ai même pas eu le temps de me mettre du vernis à ongles et….

— Toutes tes affaires sont prêtes, Francis? intervient Paul, impatient. Va les ranger en arrière, on part le plus tôt possible pour éviter la circulation lourde. Sylvia! Mais qu'est-ce qu'elle fait donc?

— J'arrive! Je m'assurais que tout était bien fermé.

Je me dirige vers la fourgonnette. Les bagages occupent l'espace arrière, nous laissant ainsi pas mal de place à l'avant. Je m'installe ensuite sur la banquette, derrière Paul. Cynthia s'assied à côté de moi. À ses pieds, elle garde un petit sac à dos turquoise, à l'effigie de Mickey Mouse. Elle boucle sa ceinture.

— Es-tu allé à La Ronde cette année? me demande-t-elle.

— Moi, tu sais…. les parcs d'attractions…

— Samedi dernier, m'interrompt-elle, j'ai failli gagner un gros toutou en peluche. Mais il me manquait vingt points. Dans le fond, c'est mieux comme ça, j'en ai déjà plein ma chambre, alors…

Je n'écoute pas le reste de sa phrase. J'ajuste le volume de mon baladeur afin de couvrir sa voix fatigante et je ferme les yeux en appuyant ma tête contre la portière. Le rythme familier de la musique m'enveloppe bientôt et me transporte à des années-lumière de cette voiture qui roule vers la frontière, emportant avec elle deux demi-familles réunies, de gré ou de force, par les caprices de la vie.

Soudainement, la voix douce de ma mère me tire d'un sommeil léger mais bienfaisant :

— *¡Francis, Francis, despierta! Ya llegamos a la aduana*[1].

J'aime bien quand elle me parle en espagnol, ça me rappelle quand j'étais petit et qu'elle me chantait des berceuses mexicaines.

Déjà la frontière américaine ! On prend la file, derrière une tente-roulotte. Notre tour arrive enfin. Un douanier ventripotent est assis sur un tabouret. Tout en nous parlant, il inscrit des données dans son ordinateur.

— *Good morning! Where are you from*[2] ?

— «Levaall», répond Paul en essayant de prendre un accent anglais.

Imperturbable, le douanier continue à tapoter sur son clavier. Après nous avoir

---

[1] Francis, Francis, réveille-toi, nous arrivons à la douane.

[2] Bonjour ! D'où venez-vous ?

nous en profiterons pour aller aux toilettes. En autant qu'ils ne décident pas de fouiller nos bagages. C'est incroyable comme le teint basané, les yeux et les cheveux noirs de maman attirent la suspicion des autorités. Elle est aussi canadienne que n'importe qui, après tout. Peut-être même plus, puisqu'elle a choisi son pays, elle, au lieu d'y être simplement née comme les autres. Je suis certain que si maman avait été une blonde aux yeux bleus, on serait déjà arrivés à Burlington au lieu de poireauter ici, au milieu d'une macédoine de gens de toutes les couleurs.

Mon regard se fixe sur maman accoudée au comptoir, ses papiers à la main. Je me sens soudainement empli de compassion pour elle quand je pense à toutes les frustrations qu'elle a dû endurer à cause de son allure et de son accent étrangers. Je me surprends à l'observer comme il faut pour la première fois, particulièrement ses beaux cheveux foncés qu'elle porte longs au milieu du dos. Elle est petite, délicate, vulnérable, au milieu de tous ces gens en uniforme qui regardent ses papiers à la loupe et la dévisagent impudiquement, cherchant je ne sais quoi pour l'empêcher d'entrer dans leur pays. En fait, nous le traversons votre pays, ai-je envie de leur dire à tous. On n'y restera pas, ne vous inquiétez pas!

Pendant que je rumine tout cela, l'employé finit par rendre le passeport à ma mère non sans y avoir imprimé une autorisation d'un geste brusque et sonore. Elle marmonne un discret «Thank you» et revient vers nous, souriante, brandissant triomphalement ses papiers comme si on venait de lui faire une grande faveur. Comme elle est naïve! Comment ai-je pu penser lui laisser faire un si long voyage sans moi? J'ai un peu honte de mon attitude des dernières semaines et je ne peux m'empêcher de la prendre par les épaules et de déposer un léger baiser sur sa tempe.

— Viens, maman, dis-je en ouvrant la porte vitrée. Nous avons assez perdu de temps ici.

2

PACHA

Le reste du trajet se déroule sans embûches. Le paysage défile lentement, faisant alterner des forêts de conifères et des parois rocheuses striées horizontalement. Heureusement, Cynthia s'avère moins bavarde que je ne le pensais. Elle semble très absorbée par la rédaction de son journal intime qui ressemble d'ailleurs plus à un devoir d'arts plastiques qu'à un recueil épistolaire.

Avec un soin inouï, elle découpe des photos de vedettes dans des revues de toutes sortes, puis elle les colle dans son cahier en ayant soin de décorer le pourtour de guirlandes de fleurs et de cœurs dessinés au marqueur.

Ensuite, elle prend des notes ou bien écrit des poèmes en se servant de sa plume à encre rose. Comme si ce n'était pas assez, elle agrémente le tout d'autocollants. Pathétique ! Au moins, elle me laisse écouter ma musique en paix pendant ce temps-là.

Au milieu de l'après-midi, Paul me demande de surveiller les numéros des voies rapides afin de contourner la ville de New York. Imperceptiblement, la circulation devient plus lourde et l'autoroute s'élargit. Il s'agit de ne pas rater la sortie qui nous mènera en lieu sûr, au sud de cette mégapole américaine. Nous prenons donc la bretelle d'accès comme prévu et continuons notre voyage sur une autoroute différente.

À ma gauche, je vois enfin se dessiner sur un ciel sombre l'incroyable centre-ville de Manhattan, avec le trou béant laissé par les tours jumelles. C'est triste quand on pense à ce qui est arrivé … J'aurais bien aimé aller me promener autour de Times Square. Ce n'est pas tous les jours qu'on passe si près d'une ville comme New York. Mais pour Paul, c'est hors de question ; il veut absolument avoir atteint la frontière mexicaine avant le 4 juillet, fête nationale des Américains. Il m'explique aussi que c'est très compliqué de circuler à Manhattan, surtout pour des touristes comme nous.

Tant pis, je n'insiste pas. C'est vrai que la route est encore longue. Cependant, je me promets de revenir plus tard en autobus ou quand j'aurai enfin obtenu mon permis de conduire.

— Un peu avant Philadelphie, nous allons bifurquer vers l'ouest, annonce soudainement Paul, puis nous continuerons le plus longtemps possible avant de nous arrêter pour dormir.

— Veux-tu que je conduise? lui demande maman. Tu dois commencer à être fatigué.

— Non, non, ça va, je te remercie.

— Bon, très bien. Dans ce cas, je vais continuer à lire mon livre, c'est très intéressant, tu sais.

Mais Paul ne l'écoute pas vraiment. Je suis d'ailleurs certain qu'il ne laisserait jamais le volant à qui que ce soit. Il n'est pas du style à déléguer, surtout quand il s'agit de ses affaires. J'espère seulement qu'il ne s'endormira pas en conduisant. Je me promets de veiller au grain. Après tout, il conduit depuis sept heures ce matin.

Après une bonne nuit de sommeil dans un terne établissement baptisé «The Red Carpet Inn» – j'ai d'ailleurs cherché partout le

25

tapis rouge en question, mais sans succès –, nous avalons à la hâte un petit déjeuner absolument gargantuesque. Décidément, dans l'Indiana, ils prennent les touristes pour des ogres.

— C'est pas très bon, mais il y en a beaucoup ! lance Paul en s'essuyant la bouche.

J'ai envie de lui répliquer que justement, comme ce n'est pas fameux, il devrait y en avoir moins. Mais je n'ai pas le goût de soulever un débat national sur cette question. Je me contente simplement de jeter un regard complice vers maman, espérant qu'elle aura saisi l'absurdité de cette remarque. Peine perdue, elle a le regard fixé sur son café qu'elle sirote distraitement.

— Aujourd'hui, il faudrait se rendre au Texas ou, tout au moins, en Oklahoma, ajoute Paul avec enthousiasme.

— Est-ce qu'il reste encore beaucoup de kilomètres avant d'arriver ? demande Cynthia.

— Énormément, ma grande. Regarde sur la carte, on est ici.

— Non, non, c'est correct, je te crois.

— Bon, on y va ? demande maman.

— Dès qu'on reçoit l'addition, répond Paul en faisant signe à la serveuse qui s'approche de nous avec sa grosse carafe thermale de café dilué.

Et c'est ainsi que nous nous retrouvons de nouveau dans l'auto, au cœur du Midwest américain. Ça doit faire une bonne demi-heure qu'on roule lorsque Cynthia commence à se plaindre qu'elle a mal au cœur. Pourtant, la route est plutôt rectiligne. Qu'est-ce qu'elle a encore?

— Ouvre la fenêtre, ma grande, et prends de grandes respirations. La prochaine halte n'est pas très loin.

Bon! Voilà le remède miracle qui ne fonctionne jamais. Je surveille Cynthia. Malgré la fenêtre ouverte et les grands bols d'air qu'elle prend, elle verdit de plus en plus.

Je commence à être sérieusement inquiet pour «Mickey Mouse», installé à ses pieds, qui semble la surveiller de ses gros yeux ronds. Elle ne va tout de même pas vomir dans l'auto... Ce serait le bouquet! Je décide de m'en mêler:

— Paul, je pense qu'il vaudrait mieux arrêter tout de suite et laisser descendre Cynthia.

Il a tout juste le temps de se ranger sur l'accotement, qu'elle descend, suivie de maman qui lui tend des serviettes humides. Après quelques minutes, elles reviennent à l'auto.

— Ça va mieux, ma belle? demande Paul, un peu soucieux.

Cynthia ne se donne pas la peine de répondre ; elle s'installe à sa place, appuie sa tête sur le dossier et ferme les yeux.

— Ça va aller, répond maman, mais on devrait tout de même la laisser se reposer un peu au prochain arrêt.

On s'arrête donc une dizaine de minutes plus tard, à une belle halte routière. Une douzaine de tables de pique-nique sont installées dans une pinède. Cynthia s'étend sur l'une d'elle. Quant à moi, je me contente de faire quelques pas autour du bâtiment central. Il est encore tôt et déjà les cigales chantent. Il va faire horriblement chaud aujourd'hui. Je suis en train de consulter une carte du comté, affichée sur un babillard extérieur, lorsque j'entends un léger jappement derrière moi. Un chien me regarde en agitant la queue.

— Es-tu perdu ? dis-je en me baissant pour caresser sa belle tête frisée.

Ce chien est plutôt énorme, mais je suis certain qu'il est jeune, à cause de son attitude enjouée. Il porte un collier mais pas de médaille et semble passablement amaigri. Je regarde autour de moi pour chercher un éventuel propriétaire lorsque Cynthia surgit devant moi. Elle a l'air d'aller beaucoup mieux.

— Quel beau chien ! Il est perdu ?

— Bien… je crois. Je vais aller me renseigner. Peut-être que les employés du kiosque d'information savent quelque chose.

Je reviens quelques minutes plus tard, sans en avoir appris davantage. Cynthia est en train de lui donner de l'eau et discute avec son père.

— Papa, regarde comme il est gentil. Il est perdu… On ne peut pas le laisser ici! Il va se faire écraser sur la route ou il va mourir de faim.

— Voyons, ma belle. On ne peut tout de même pas l'emmener avec nous au Mexique. Ça ne se fait pas de débarquer chez les gens comme ça avec un gros chien.

— On va le laisser dehors! Sylvia m'a dit qu'il y a un jardin. Et je vais m'en occuper. C'est promis, t'auras rien à faire, je te le jure.

— Et dans l'auto, on va le mettre où?

— À l'arrière, il reste de la place. Je suis sûre qu'il va être sage, pas vrai, mon toutou?

Impuissant, j'assiste au dialogue. Je sens déjà que Paul est en train de faiblir devant les supplications de sa fille, qui semble d'ailleurs avoir beaucoup d'expérience pour manipuler son papa chéri. Je sens l'urgence de m'en mêler:

— Voyons, Cynthia. Ça n'a pas de sens de traîner un gros chien comme ça jusqu'au Mexique. Et puis, qu'est-ce qu'il va manger?

— On va lui acheter de la nourriture. Ils en vendent dans tous les dépanneurs.

— C'est vrai, Cynthia, qu'on manque de place. Et il est peut-être malade, ce chien, et plein de puces, intervient maman, qui a aussi son mot à dire, après tout.

Pour toute réponse, de grosses larmes inondent le visage de Cynthia, entraînant une coulée de mascara dans leur sillage.

— C'est ça, liguez-vous tous contre moi! Vous êtes cruels, vous voulez donc le laisser mourir? Pauvre toutou qui n'a rien fait de mal à personne! ajoute-t-elle en le prenant par le cou. C'est encore un bébé.

— Bon, ça va! cède finalement son père. On va l'emmener jusqu'à Oklahoma City pour ensuite le confier à la Société protectrice des animaux, c'est le mieux que je puisse faire.

— Merci, mon papa d'amour! Je savais que t'étais le meilleur papa du monde, lui dit-elle en l'embrassant.

Les larmes ont disparu aussi vite qu'elles étaient venues. Seules des marques noirâtres sous ses yeux témoignent de leur brève apparition. Je n'en reviens tout simplement pas! Un chien dans l'auto à présent. Il ne manquait plus que cela! Et maman qui se contente de hausser les épaules.

— Pourquoi ne dis-tu rien? lui lancé-je dès qu'ils eurent le dos tourné. Pourquoi le laisses-tu tout décider ? Tu vois bien que ça n'a pas de sens. Il fait toujours tout ce qu'elle veut.

— Je sais, Francis, mais c'est son auto après tout et c'est lui qui conduit et…

— Oui, mais c'est notre voyage à nous aussi, quand même !

— Ce n'est pas la fin du monde ; on va le laisser ce soir à Oklahoma City et si ça peut faire plaisir à Cynthia… elle a été malade, après tout.

— Elle avait juste à ne pas avaler quatre crêpes aux bleuets par-dessus ses œufs au bacon. On dirait qu'elle n'a rien eu à manger de toute sa vie ! Et pourtant, à la voir…

— O.K. Tais-toi, ils vont t'entendre, me dit ma mère, impatientée par mes jérémiades.

Ils ont installé Pacha – c'est ainsi qu'ils l'ont baptisé – à l'arrière de la fourgonnette, après avoir empilé les bagages sur les côtés. Le chien se tient debout et je sens son haleine tiède dans mon cou. Ça m'agace, mais j'avoue que je me serais senti mal de le laisser tout seul au bord de l'autoroute. De plus, il me regarde avec de bons yeux reconnaissants. Il est aussi manipulateur que sa nouvelle maîtresse, celui-là. Je remets mes écouteurs sur ma tête et j'essaie d'oublier toute cette matinée plutôt rocambolesque quand une forte odeur de solvant m'agresse. Ça ne se peut pas ! Cynthia a étalé tout son nécessaire à manucure et elle est en train de se faire les ongles. Je bondis, impatient.

— Non mais, ça va pas ? Tu tiens absolument à ce qu'on soit tous malades à tour de rôle, même le chien ?

— Bien quoi … ça ne pue pas tant que ça !

Heureusement, Paul intervient :

— Francis a raison. Range ta trousse, tu feras ça ce soir à la chambre d'hôtel. Il n'y a rien qui presse et l'auto n'est pas l'endroit idéal pour ça.

C'est bien la première fois que j'entends Paul lui parler sèchement. Il doit vraiment détester l'odeur du dissolvant ou avoir peur que le chien ne salisse son auto. Peu importe, Miss Maquillage range ses affaires, non sans avoir poussé un profond soupir de frustration. Quelle tête de linotte !

Dire que j'en ai encore pour six semaines moins un jour à endurer ses niaiseries. Heureusement, elle plonge le nez dans une revue, et moi, je repars dans mes rêveries. Je pense à mes amis et au party qui a eu lieu la veille. Qu'est-il arrivé à Marie-Ève ? Elle a dû danser toute la soirée avec Trottier. À cette heure-ci, elle doit à peine se réveiller s'ils ont fêté tard. Je n'ose pas trop imaginer l'issue du party, que j'attendais pourtant avec tant d'impatience et que j'ai raté.

Enfin, il faut que je cesse de me torturer l'esprit, sinon je risque de passer mes vacances à y penser. Je préfère fermer les yeux et me laisser rapidement bercer dans les bras réconfortants de Morphée.

Malgré ma sieste, le trajet me semble interminable aujourd'hui. Il y a d'énormes bouchons de circulation à cause des feux de forêt qui font rage au sud. Il paraît que c'est fréquent en cette saison. Ce n'est pas surprenant avec la chaleur d'enfer qu'il fait : 113 °F, disaient-ils au dernier bulletin météo, et à l'ombre en plus, ont-ils précisé. À quoi bon, je me le demande, puisqu'il n'y en a pas d'ombre !

Étonnamment, Pacha est plutôt tranquille. À part le fait qu'il cherche constamment à sauter à l'avant pour s'asseoir avec nous, il est plutôt docile et n'émet aucun jappement. Il faut dire qu'on arrête de temps en temps pour qu'il puisse se dégourdir les pattes. Je doute fort qu'on puisse parvenir à temps à Oklahoma City pour le confier à quelque organisme pour animaux que ce soit. Tous ces bouchons et ces détours nous ont sérieusement retardés. De plus, Cynthia s'est tellement entichée de lui que je vois mal son papa chéri l'obliger à le laisser quelque part.

Mes craintes quant à l'avenir de notre pensionnaire se confirment lorsque Paul ressort d'un magasin, encombré d'une énorme cage en plastique beige. Il se lance dans d'interminables explications à ma mère :

— Comme ça, il va cesser de sauter en avant. Sinon il peut briser les sièges. De plus, chez ta mère, ça lui servira de niche. Ça va être plus simple que de chercher à se débarrasser de lui, d'autant plus qu'à l'heure où l'on va traverser Oklahoma City, tout sera fermé. Et on est assez en retard comme ça. Aussi, j'ai pensé que ça ferait de la compagnie à Cynthia au Mexique. Étant donné qu'elle ne parle pas l'espagnol, elle risque parfois de trouver le temps long. Tu comprends ?

Ce que je comprends surtout, c'est que ce n'est pas en conversant avec un chien berger américain qu'elle va apprendre l'espagnol. Elle a encore obtenu ce qu'elle voulait. Tant mieux pour elle et pour Pacha qui s'avère le grand gagnant de toute cette histoire.

3

SCORPIOS AND RATTLESNAKES

On a dormi finalement dans un motel à deux étages, en banlieue sud d'Oklahoma City.

Puis on a repris la route ce matin, empruntant la Nationale 35 vers le sud, qui nous mènera directement à la frontière mexicaine, via Dallas et San Antonio.

Cynthia somnole à côté de moi. Paul conduit, évidemment, en écoutant la radio. Maman, elle, est toujours plongée dans son livre. Quant à Pacha, il est étonnamment sage, probablement endormi dans sa cage. C'est un bon chien finalement. Un peu gros, peut-être, mais docile et affectueux.

J'ai écouté tous mes disques. J'aurais dû en apporter d'autres, car j'en ai marre d'écouter les mêmes airs. Je me résigne donc à sortir un des bouquins que j'ai mis dans mon sac avant de partir. Sur la couverture, on voit une souris blanche, avec, en arrière-plan, un labyrinthe. Le titre est étrange : *Des fleurs pour Algernon*[7]. C'est ma prof de français qui me l'a prêté. Il faudrait bien que je fasse un effort et que j'en lise quelques chapitres au moins avant de le lui rapporter.

Je feuillette les premières pages. C'est vraiment spécial comme texte. C'est écrit au son et bourré de fautes d'orthographe épouvantables. Moi qui me croyais passé maître dans l'art d'écrire n'importe comment, je viens d'être détrôné. Je finis par comprendre que Charlie est un handicapé mental qui écrit son journal. Il va subir une opération au cerveau, car il voudrait devenir «un téligent» comme la souris Algernon, qui a déjà subi l'intervention miraculeuse. Originale comme histoire. Je vais faire un effort et peut-être que j'arriverai, pour une fois, à persévérer et à lire un livre jusqu'au bout.

C'est vrai que le temps passe plus vite quand on s'occupe. On a déjà traversé Dallas et on fonce tout droit vers le Mexique. Je com-

---

[7] Daniel Keyes, *Des fleurs pour Algernon,* J'ai lu, 1992.

mence à avoir hâte d'arriver maintenant et de revoir ma grand-mère et surtout mon cousin Enrique qui doit avoir dix-huit ou dix-neuf ans.

Vers deux heures, Paul annonce l'heure de la pause. Il y a un belvédère sur le bord de la route, avec des tables de pique-nique. Le paysage est de plus en plus aride. J'interromps ma lecture presque à contrecœur. J'ai déjà lu cinq chapitres. Charlie a été opéré avec succès et ne fait plus de fautes. C'est vraiment génial, ce livre dont la lecture m'évite de trop penser à Marie-Ève et à tout le monde.

Je descends de la voiture. Une pancarte en bois nous souhaite la bienvenue à l'aire de pique-nique. Et tout en bas : *Beware of scorpios and rattlesnakes*[8].

Hum, très accueillant, me dis-je en regardant instinctivement à mes pieds. Cynthia est occupée à faire descendre Pacha et à lui mettre une laisse. Elle me demande :

— Qu'est-ce qui est écrit ?

— Bien, lis ! Tu vas le savoir.

— Tu le sais que je ne suis pas bonne en anglais ! C'est quoi *scorpios* et *rattlesnakes,* des signes du zodiaque ?

— Non… pas vraiment, ils nous conseillent de faire attention aux scorpions et aux serpents à sonnettes…

---

[8] Prenez garde aux scorpions et aux serpents à sonnettes.

Je n'ai pas le temps de terminer ma phrase qu'elle est déjà retournée en hurlant dans l'auto, son chien sur les talons.

— Dégueulasse! Je déteste les bibittes! Viens avec moi, Pacha. Tu pourrais te faire piquer par un serpent.

Pauvre chien! Il trouve que la promenade a été plutôt brève et tire désespérément sur sa laisse.

— Ça ne pique pas, les serpents, ça MORD! lui dis-je sur un ton volontairement effrayant et en gesticulant comme un diable de Tasmanie affamé.

Ça m'amuse de la voir paniquer pour rien. En fait, c'est plutôt le chien que je plains. Il est en train de s'étrangler à force de tirer sur sa laisse. Je vais le chercher.

— Viens, Pacha! Viens, on va aller se faire manger par les méchantes bibittes.

— Arrête de rire de moi! pleurniche Cynthia, toujours affolée, assise dans l'auto, les pieds recroquevillés sous elle.

— Tu sais, si t'as si peur des bestioles, tu ne devrais pas t'aventurer au Mexique. Il y a des fourmis géantes et des coquerelles grosses comme des rats. Et imagine un peu les araignées….

— Arrête!

— En plus, on mange des sauterelles! Ma grand-mère en sert toujours en entrée… Ça croustille comme des chips…

— Arrête! C'est dégueulasse ce que tu dis!

Ma mère intervient finalement, prenant la pauvre Cynthia en pitié:

— Ça suffit, Francis. Arrête tes bêtises et va plutôt promener le chien.

Quelques minutes plus tard, Paul nous rappelle, impatient:

— Allez! on repart. Je ne veux pas arriver à Monterrey au milieu de la nuit. Et puis, il fait vraiment chaud ici, ajoute-t-il en repliant sa carte.

On retourne donc à la voiture dans laquelle Cynthia s'est barricadée. Elle me regarde reprendre mon roman.

— C'est quoi, ton livre? Une histoire de souris?

— Exactement! On ne peut rien te cacher.

La pauvre, elle ne se rend même pas compte à quel point elle me tape sur les nerfs avec toutes ses questions.

Quelques heures plus tard, j'aperçois une pancarte annonçant Nuevo Laredo! Enfin, la frontière mexicaine! On traverse le Rio Grande, un fleuve qui n'a de grand que le nom. Ils n'ont jamais vu le Saint-Laurent, les Mexicains! Il y a encore plus d'achalandage que prévu. On voit des voitures bondées de familles mexicaines, des travailleurs agricoles sans doute. Puis des ouvriers qui retournent passer quelques jours chez eux, rapportant toutes sortes de choses comme des matelas pliés en deux ou des boîtes de carton attachées avec de la ficelle. Les fenêtres ouvertes laissent entendre les pleurs des enfants, excédés par la chaleur suffocante et la longue attente.

Il y a aussi des touristes, américains pour la plupart, facilement reconnaissables à leurs grosses voitures luxueuses aux fenêtres soigneusement fermées. Et puis, il y a nous quatre, égarés au milieu de tout ce bazar.

Un homme en uniforme s'approche de notre voiture. Il nous explique qu'il y a deux heures d'attente avant de passer, car c'est un jour férié aujourd'hui. Maman lui dit que nous venons de loin et lui demande s'il n'y a pas moyen d'éviter toute cette cohue.

Le douanier hésite, tergiverse et se lance dans des explications compliquées. Cela donne à maman le temps de lui tendre son passeport dans lequel elle a glissé discrètement un billet de dix dollars américains. Il ouvre le passeport, fait mine de le consulter et glisse l'argent dans sa poche. D'un air satisfait, il nous fait signe de contourner la file d'attente et de nous rendre directement à l'avant, au guichet, question de régler les dernières formalités.

— Qu'est-ce que tu lui as dit ? demande Paul, qui suit les instructions de l'homme en uniforme sans trop comprendre ce qui se passe.

— Je n'ai rien dit de spécial. Je lui ai simplement donné dix dollars, c'est tout !

— Quoi ? Dix dollars ! rétorque Paul, surpris, lui qui est si près de ses sous.

— Tu aurais préféré attendre là, au soleil, pendant deux heures ou quoi ? Alors, laisse-moi faire, je sais comment ça marche ici.

C'est à peine si je reconnais maman, elle qui est si discrète et si réservée d'habitude. Elle sort de la voiture et se présente avec Paul au guichet pour régler une police d'assurances. Puis, d'un air blasé, le douanier nous fait signe de passer sans nous poser de questions ni fouiller l'auto. Je suis tout énervé et un peu ému en même temps. La voilà franchie, cette fameuse frontière ! Nous allons enfin pénétrer dans l'univers mouvementé, épicé, coloré et surchauffé du pays de mes ancêtres. Et j'ai le pressentiment que je ne m'ennuierai pas ! *Viva México !*

Santa Ramona est une banlieue résiden-tielle de Monterrey, une grande ville située

41

du côté est de la sierra Madre, cette chaîne montagneuse qui traverse le Mexique de part en part. Comme notre destination est située plutôt au nord du pays, nous devrions y arriver avant la nuit.

J'ai fermé mon livre. Je préfère m'imprégner du paysage mexicain qui défile sous mes yeux. Baignés par la lumière ambrée du soleil couchant, d'innombrables cactus tendent leurs longs bras épineux vers le ciel. Ils ressemblent à des chandeliers qui auraient été plantés là, éparpillés au hasard par une main géante. Ils sont entourés de bosquets rabougris qui prolifèrent un peu partout. La vallée est balayée par un vent chaud et sec qui soulève la poussière, créant autour de ces sculptures végétales une espèce de halo translucide et doré. Quel beau spectacle !

On aperçoit des paysans indiens cheminant sur des sentiers cailloux. C'est vraiment pittoresque, comme dans les films. Maman m'explique qu'il y a encore beaucoup d'Indiens au Mexique et que plusieurs d'entre eux ont conservé leur langue et leurs traditions.

Ça me fait tout drôle de penser que j'ai peut-être du sang indien qui coule en moi. C'est vraiment la première fois que je m'intéresse à mes origines maternelles. J'en sais davantage sur la famille de mon père puisqu'il était québécois. Cependant, il connaissait bien le Mexique aussi, y ayant travaillé comme ingénieur pendant cinq ans. C'est comme cela qu'il a rencontré ma mère, sur une plage d'Acapulco. Ce n'est qu'après ma naissance qu'ils sont venus s'installer à Laval. Je ne suis retourné au Mexique qu'une seule fois depuis, quand j'étais petit. Alors, j'avoue ne pas connaître tellement de choses sur ce pays et encore moins sur ses habitants. Mon cousin Enrique va sûrement être en mesure de me renseigner sur les peuples qui vivent ici. Il a dû apprendre ces choses dans ses cours d'histoire à l'école.

J'aperçois au loin d'immenses plantations qui ressemblent à des feuilles d'ananas géantes. Maman m'explique qu'il s'agit de l'agave, une plante dont on tire une boisson, le mescal, qui se consomme un peu partout comme la bière. Je suis curieux d'y goûter. Je pense aussi que c'est à partir de cette plante qu'ils fabriquent la fameuse tequila. Je compte bien sur mon cousin pour m'initier à ces boissons-là! Cela va m'aider à digérer son cours d'histoire précolombienne!

Nous arrivons enfin à proximité de la maison de ma tante. Maman finit par reconnaître un carrefour, puis la grille en fer forgé qui isole la propriété de la rue. J'ai tellement hâte de sortir de cette voiture. Je pense honnêtement que je n'aurais pas pu tenir dix

4

ENRIQUE

Les fenêtres du rez-de-chaussée sont éclairées, malgré l'heure tardive. J'imagine qu'on nous attend. Je suis un peu intimidé. Cela doit faire cinq ou six ans que j'ai vu ces gens. Même s'ils font partie de ma famille, ils sont presque des étrangers pour moi. Bien sûr, on s'écrit parfois et on se téléphone au jour de l'An, mais ce n'est pas suffisant pour créer des liens étroits.

La porte s'ouvre et ma tante apparaît dans un halo de lumière. Toute souriante, elle saute littéralement au cou de maman. Les deux sœurs échangent des accolades et des exclamations de joie qui percent le silence de la rue. Amusé, j'écoute leurs propos entrecoupés de drôles de commentaires.

Pendant ce temps, nous restons là, plantés comme des piquets, observant leurs retrouvailles. Grand-maman apparaît finalement, l'air endormi, serrant son châle autour de ses maigres épaules.

— Mes enfants, vous voilà! Mais entrez, mes petits, ne restez pas là.

Bien entendu, toute la conversation se déroule en espagnol, ce qui contribue à rendre Paul et Cynthia encore plus mal à l'aise. J'adresse la parole à ma grand-mère :

— *Buenas noches, abuela. ¿Cómo estás? ¿Te despertamos[9]?*

— *Francisco, mi niño... ¿Estás bien? ¡Cómo estas de grande! Un verdadero hombre, lindo como tu pobre padre[10].*

Elle me serre contre elle. Elle est devenue si petite qu'elle m'arrive à peine à la hauteur de la poitrine. C'est vrai que j'ai dû grandir ces dernières années, mais je suis tout de même surpris de la voir si frêle, si ridée. Elle est belle malgré tout, avec ses cheveux tout blancs qu'elle porte en chignon sur la nuque.

Elle relâche finalement son étreinte en essuyant ses yeux humides avec un petit mouchoir brodé. Maman fait enfin les présenta-

---

[9] Bonsoir, grand-maman. Comment vas-tu? On t'a réveillée?

[10] Francis, mon petit... C'est bien toi? Comme tu es devenu grand! Un vrai homme, ma foi! Et beau comme ton pauvre papa!

tions d'usage, et tante Maria nous débarrasse de nos paquets. Elle appelle Enrique, qui descend l'escalier quatre à quatre. Je le reconnais, même s'il a changé. Plutôt grand et maigre, il a les cheveux courts et ondulés et porte des lunettes dorées qui lui donnent un air un peu intello.

Il me salue avec enthousiasme, prend les valises de maman et monte le tout à l'étage. Je lui emboîte le pas. Pendant ce temps, tante Maria fait passer tout le monde à la cuisine. Paul est encore un peu mal à l'aise. Il s'esquive, prétextant qu'il a laissé le chien dans l'auto. Ma tante lui dit qu'il peut l'installer dehors, dans le jardin.

Cynthia décide, quant à elle, d'aller se coucher. On lui a réservé une petite chambre qui donne sur la cour arrière. En ce qui me concerne, je devrai partager celle d'Enrique. Je demande où se trouve mon oncle. Tante Maria finit par excuser son absence ; il travaille beaucoup ces temps-ci. Il est médecin.

Avec mon cousin, j'ai bavardé jusque tard dans la nuit. Sa chambre ressemble à une bibliothèque ; les murs sont recouverts d'étagères remplies de gros livres scientifiques. Il m'a expliqué que ce sont les livres de médecine de son père. Il y a aussi des manuels de biologie, de chimie et d'anatomie. Certains sont en espagnol, mais la plupart sont en anglais.

— Tu comprends, je veux absolument être admis à la faculté de médecine de Mexico l'an prochain. Alors, j'étudie le plus possible afin d'améliorer mes chances, m'explique-t-il, les yeux brillants. J'en profite pendant l'été parce que je n'ai pas de cours. Tu vois, quand je lis des trucs importants, je les note et les garde en mémoire dans mon ordinateur. Comme cela, si j'oublie quelque chose, je peux facilement retrouver les renseignements, tu comprends?

Je comprends surtout que mon cousin est du genre hyperbrillant, ambitieux et infatigable. En un mot: c'est mon antithèse parfaite! Et moi qui comptais sur lui pour faire la fiesta avec les plus belles filles du quartier, pour m'initier aux produits de chacune des distilleries locales! Je pense que je vais devoir oublier cela et me rabattre sur les leçons d'histoire mexicaine. Ça promet!

À mon réveil, je suis vraiment surpris par la dimension de la maison. Je n'avais pas réalisé hier soir à quel point elle est spacieuse et luxueuse. La cour est immense et ceinturée par une clôture en fer forgé. Il y pousse tout un éventail d'arbres bizarres. Certains portent des fruits semblables à des oranges ou des citrons d'un jaune encore verdâtre ; d'autres sont couverts de fleurs rose foncé. Au milieu de toute cette végétation luxuriante trône une magnifique piscine creusée en forme de fève, dont l'eau cristalline reflète le bleu du ciel.

À l'arrière, il y a une terrasse d'où on a une vue imprenable sur toute la ville située en contrebas. Sur le côté, une entrée discrète mène au bureau d'oncle Carlos, où il fait ses consultations. La plus grande partie du rez-de-chaussée est réservée à sa clinique. Je n'ai pu y entrer, mais Enrique m'a expliqué qu'il y a une salle d'examen, de radiologie et même de chirurgie pour les cas urgents. C'est assez impressionnant.

Nous l'avons d'ailleurs rencontré ce matin, oncle Carlos. Honnêtement, il me fait plutôt mauvaise impression. D'abord, il passe son temps à houspiller tante Marie qui est pourtant si gentille. Ensuite, je trouve qu'il a l'air prétentieux. Il salue tout le monde, nous questionne distraitement sur le voyage et sur le temps qu'il fait en ce moment au Québec, puis se plonge dans la lecture de son journal. Vingt minutes plus tard, il se lève de table, se plante devant un miroir, passe un peigne dans ses cheveux courts et coiffés vers l'arrière, enfile son sarrau et descend recevoir son premier patient.

Tante Maria se sent obligée de l'excuser.

— Vous savez, Carlos est très fatigué ces temps-ci. Il travaille trop et a de grosses responsabilités. Parfois, il est un peu tendu et nerveux, mais il est content que vous soyez là.

— Oui, vous savez, ajoute Enrique, c'est un médecin très réputé. Il soigne des gens de tout le pays et même des patients américains viennent le consulter. Il est néphrologue.

— Néphrologue?

— C'est un spécialiste des maladies du rein, répond maman qui n'avait pas encore ouvert la bouche.

— Et il est aussi chirurgien, poursuit Enrique. Un jour, j'aimerais bien devenir son associé, quand j'aurai mon diplôme, bien entendu. Il y a tant de gens malades ici qui ont besoin de bons médecins.

— Qu'est-ce qu'il dit? demande Cynthia, la bouche pleine.

Pauvre Cynthia! Elle n'a pas fini de dire: Qu'est-ce qu'il dit? Maman se charge de lui faire un résumé qu'elle écoute à peine. Je sens qu'on va devoir jouer aux interprètes assez souvent cet été.

Enrique m'invite à faire le tour du quartier dans sa vieille Volkswagen. Ici, on dirait que tout le monde possède la même auto. Certaines n'ont qu'une porte, d'autres n'ont plus de pare-brise ou ont un coffre à bagages qui s'accroche désespérément à tout le reste avec un bout de fil de fer. Je me demande comment ces bagnoles, qui ont toutes au moins vingt ans, font pour rouler encore. C'est vrai qu'elles n'ont pas à subir l'hiver canadien… mais quand même. Enrique m'explique qu'il recevra une voiture neuve après la remise des diplômes, l'an prochain.

Je remarque, accrochée au rétroviseur, une image représentant une sainte, les mains jointes. Autour d'elle, une guirlande de roses et le drapeau mexicain complètent le portrait. Il doit s'agir d'un porte-bonheur ou de quelque chose du même genre. Enrique est tellement concentré sur son exposé de guide touristique que je ne le questionne pas à ce sujet.

De retour à la maison, Paul m'annonce une bonne nouvelle. Nous partons demain matin pour Barra San Antonio, une station balnéaire située sur le golfe du Mexique. Je pense qu'il se sent un peu mal à l'aise en présence d'oncle Carlos. De toute façon, nous avons besoin de repos, et un séjour au bord de la mer nous fera le plus grand bien à tous. Maman est contente, car tante Maria va nous accompagner. Elle connaît une dame, là-bas, qui loue des villas et elle en a réservé une pour nous, qui donne directement sur la plage. Super !

En attendant, je décide de profiter de la piscine, car il commence à faire vraiment chaud. Surtout qu'Enrique n'a rien trouvé de mieux pour meubler son après-midi que de s'enfermer dans sa chambre avec ses bouquins. Moi, je préfère nettement me glisser dans l'eau tiède et accueillante sans penser à rien.

Une odeur d'huile solaire attire soudain mon attention. Cynthia est installée sur une chaise longue. Elle porte un bikini rose, de la même couleur que les fleurs qui couvrent la clôture. Entre ses mains, elle tient une assiette d'aluminium à la hauteur de son visage. Je me demande bien pourquoi.

— Hé, Cynthia! T'as oublié ton miroir ou quoi?

— C'est pas un miroir, c'est pour bronzer plus vite.

— Bronzer? T'es sûre que t'es pas plutôt en train de cuire? Tu sais, le soleil est redoutable par ici.

— T'inquiète pas! C'est ce que je fais toujours et ça donne des résultats fantastiques, tu vas voir.

— Tant pis pour elle! Après tout, je ne suis pas sa mère ni son père. Je continue donc à patauger allègrement jusqu'à ce que grand-maman nous appelle pour manger. Ça tombe bien, je commence à avoir un sérieux creux dans l'estomac.

Je passe devant Pacha que je réveille en pleine sieste. Il est content de me voir et me lèche les mollets en guise de salutation. Quant à Cynthia, elle reste immobile, toujours allongée, tenant son antenne parabolique minutieusement dirigée vers son nez.

5

Ô SOLEIL, SOLEIL

Après le repas, Enrique me propose d'aller faire un tour d'auto dans le voisinage. On emprunte une rue étroite et escarpée qui mène à l'extérieur de la ville, puis on bifurque sur une petite route de terre parfaitement déserte. Je me demande bien ce qu'on vient faire ici. Sans plus d'explications, Enrique immobilise l'auto, sort de celle-ci et vient ouvrir ma portière.

— Allez, c'est à ton tour de conduire.

— Conduire! Mais je n'ai jamais conduit de manuelle, moi!

— Justement, je vais te montrer. Tu vas voir, ce n'est pas sorcier. Et elle en a vu d'autres, ma bagnole, t'inquiète pas!

Et c'est ainsi que j'exécute mes premiers essais au volant d'une voiture, non sans faire une série de fausses manœuvres. J'écoute religieusement les instructions d'Enrique, mais il m'est difficile de coordonner les mouvements de bras, de jambes, d'embrayage, d'accélérateur, de transmission, etc. Surtout qu'il m'avoue que la seconde vitesse est à moitié bousillée. Bref, je réussis tant bien que mal à faire avancer son bazou par sursauts et saccades.

Je m'amuse beaucoup. Lui aussi, je pense. Petit à petit, on commence à retrouver notre amitié d'enfance. Enrique est patient envers son élève et prend mes erreurs avec désinvolture.

— C'est pas grave ! Redémarre et recommence.

La radio hurle dans nos oreilles et le son va se perdre dans la campagne avoisinante. Le soleil commence à se coucher lorsqu'on décide de retourner à la maison. Enrique reprend le volant. Il en profite pour m'annoncer, avec quelques regrets dans la voix :

— Je ne pourrai pas vous accompagner à la mer.

— Ah non ?

Dommage ! Je suis déçu, moi qui commençais à le trouver sympathique, mon cousin, malgré ses tendances exagérées à se farcir la cervelle de tout ce qui lui tombe sous la main.

— Pendant l'été, je travaille trois jours par semaine dans un dispensaire.

— Tu travailles où?

— Disons que ce n'est pas vraiment du travail, mais plutôt du bénévolat. J'assiste un infirmier qui travaille dans une sorte de clinique médicale, près du quartier pauvre. Cela me permet d'acquérir de l'expérience, tu comprends?

Enrique conclut toujours ses explications par «tu comprends?» C'est comme s'il voulait s'excuser d'être aussi studieux, méticuleux, et charitable en plus. On dirait qu'il se croit obligé de se justifier d'être différent des autres jeunes qui prennent la vie avec insouciance. J'insiste en essayant de le convaincre, sachant à l'avance que c'est peine perdue:

— Allons, Enrique! Tu n'as pas l'intention de rater deux semaines à la plage pour une histoire de bénévolat? Tu n'es même pas payé, alors qu'est-ce que ça peut faire si tu n'y vas pas?

— Il y a des gens qui comptent sur moi là-bas et j'ai donné ma parole à Eduardo qui a vraiment besoin d'aide, car il est débordé.

— Bon d'accord, c'est toi qui décides. Fais comme tu veux.

Et moi là-dedans, qu'est-ce que je vais faire pendant tout ce temps avec Cynthia et

Pacha? Ça promet d'être gai... Comme s'il lisait dans mes pensées ou sur ma mine déconfite, il me dit :

— Fais pas cette tête! Tu vas aimer ça, la plage. L'eau est claire et bleue, c'est magnifique. Il y a des filles partout... Hé, hé! Et puis, Cynthia sera là, elle aussi. Elle n'est pas mal, Cynthia, non?

— Non mais qu'est-ce que tu sous-entends?

— Rien, rien! Je disais ça tout simplement. Ne te fâche pas, rajoute-t-il en voyant mon regard scandalisé.

— Écoute, je vais mettre quelque chose au clair, d'accord? Cynthia ne m'intéresse pas. Point final. Même que j'ai de la misère à l'endurer. Et ne va pas t'imaginer que je cours après tout ce qui porte une jupe... J'ai pas de temps à perdre, surtout pas avec elle.

— D'accord, d'accord... je pensais juste qu'à ton âge tu avais peut-être une petite amie... c'est tout.

— Justement, t'as visé juste. Figure-toi qu'il y en a deux ou trois qui m'attendent à quelque quatre mille kilomètres d'ici et que si tu trouves Cynthia pas mal, c'est que tu ne connais pas Marie-Ève. Et qu'à l'heure où on se parle, elle sort peut-être avec un autre gars parce que, moi, je suis obligé d'arpenter le continent avec ma belle-famille.

Et c'est à mon tour d'ajouter : tu comprends ? Et puis, qu'est-ce qu'il connaît aux filles, lui ? Je suis sûr que ce qu'il a vu de plus excitant ce sont ses planches d'anatomie féminine. Je continue sur ma lancée. Après tout, c'est lui qui a abordé le sujet, sauf que j'essaie de me calmer un peu.

— D'ailleurs, Enrique, est-ce que tu sors parfois ? Les filles, toi... qu'est-ce que t'en dis ?

— Oui, oui, me répond-il évasivement, je sors parfois. Mais c'est difficile avec tout ce que je dois apprendre et mon travail d'été au dispensaire.

— Mais quand t'as fini la théorie... t'as pas le goût de passer au laboratoire... pour les travaux pratiques...

— Si, si, j'y vais, au labo. Il y en a un à l'hôpital et mon père m'y conduit parfois.

— Mais non, espèce de con ! Je parle de travaux pratiques avec les filles... et puis, laisse tomber ! Oublie ce que j'ai dit.

J'avais raison ! Il peut sûrement nommer chacun des os, muscles, organes du corps humain, mais il n'a jamais approché une fille ! Voilà ce que ça donne, les gros livres compliqués. C'est vrai qu'il est très intelligent, Enrique, mais, en même temps, il me semble un peu naïf pour son âge. Après tout, je n'ai besoin de personne pour avoir du plaisir à la mer et tant pis pour lui s'il préfère passer ses journées de vacances à soigner des hordes d'éclopés dans une quelconque infirmerie des bas quartiers.

Sur ces entrefaites, nous arrivons à la maison. Il fait déjà sombre. Maman nous accueille avec un drôle d'air. Je devine tout de suite qu'il se passe quelque chose d'inhabituel.

— Maman, qu'est-ce qu'il y a? Grand-maman est malade?

— Ce n'est pas ta grand-mère, c'est Cynthia, me dit-elle en me faisant signe de regarder au salon.

Toujours en maillot de bain, cette dernière est assise sur un tabouret. Elle a le visage tellement rouge et enflé que j'en ai presque pitié. Quant à son dos, c'est encore pire. Sa peau est boursouflée comme si elle sortait d'un brasier. Elle a dû rester au soleil toute la journée.

Grand-maman lui applique un onguent graisseux pendant que Paul lui donne à boire. Elle ne dit rien, mais de grosses larmes coulent de ses yeux bouffis. Enrique réagit tout de suite.

— C'est une insolation! Et un coup de soleil!

Bravo! Quel brillant diagnostic, docteur! me dis-je.

— Oui, elle fait de la fièvre et elle est déshydratée, précise maman.

Je me rends compte que jamais on ne pourra partir demain, avec Cynthia dans cet état.

— Et notre séjour à Barra San Antonio ? demandé-je.

— Carlos dit qu'elle a besoin de trois à quatre jours pour s'en remettre et qu'il n'est surtout pas question qu'elle retourne au soleil. Alors, nous avons reporté notre séjour à plus tard.

Bon, encore une déception, et tout cela à cause de cette écervelée qui n'a pas plus de jugement qu'un pigeon d'argile. Je ne réponds rien. Je me contente de regarder ce spectacle désolant avec résignation. Cynthia ajoute d'une voix brisée :

— Je m'excuse, je ne voulais pas vous causer d'ennuis.

Elle fait tellement pitié que j'essaie de la réconforter un peu :

— Allons, courage ! Après une bonne nuit, ça ira mieux.

Je ne sais d'ailleurs pas quelle posture elle va adopter pour dormir. Elle ne peut se coucher ni sur le dos ni sur le ventre. Alors, pour ce qui est de la «bonne nuit»… ça risque plutôt d'être cauchemardesque. Je suppose qu'Enrique va trouver une solution dans un de ses livres ou sur Internet. En attendant, je vais me coucher. Je préfère retrouver les personnages de mon roman. *Buenas noches!*

La convalescence de Cynthia se déroule comme prévu. Après quelques jours de repos, elle est assez bien pour sortir de la maison.

Quant à moi, je profite de ces journées pour me baigner, lire un peu, promener Pacha et observer le va-et-vient des patients d'oncle Carlos qui viennent à la clinique. Sa clientèle est surtout composée d'hommes et la plupart sont assez jeunes. C'est étrange, je m'attendais plutôt à voir des gens âgés, car ce sont eux qui d'habitude ont des problèmes de santé… Quoique, ici, les choses peuvent très bien être différentes. Étonnamment, oncle Carlos semble avoir une prédilection pour les gens pauvres et peu instruits. Ça me surprend, lui qui n'a pas l'air particulièrement altruiste. Je ne sais pas pourquoi, mais je ne peux m'empêcher de lui trouver l'air louche, malgré sa réputation d'excellent médecin.

L'autre matin, j'étais assis devant la maison à observer les lézards qui pullulent sur le vieux muret de ciment. Soudain, un homme s'est adressé à moi pour s'informer si c'était bien ici la clinique médicale du Dr Carlos Gomez. «Pour les opérations», a-t-il ajouté d'une voix étouffée. Manifestement, cet homme ne savait pas lire puisque, tout juste derrière moi, le nom de mon oncle Carlos était gravé sur une plaque. Il était manchot et semblait assez bouleversé. Il gesticulait en faisant valser son moignon sous mon nez. J'ai sursauté et je l'ai renseigné du mieux que j'ai pu. En tout cas, ce n'est pas moi qui vais devenir médecin, ça c'est sûr!

Malgré tout, j'apprends à mieux le connaître, mon oncle. Il est peut-être plus gentil qu'il en a l'air, finalement. Hier soir, il nous a tous invités dans un bon restaurant du centreville. Après, nous sommes allés voir un spectacle de chanteurs et de danseurs. Comme nous avons dû reporter notre voyage sur la côte à cause de Cynthia, il a suggéré que les jeunes aillent passer la fin de semaine à Mexico, chez son frère. Je trouve l'idée excellente, car je commence à tourner en rond ici. C'est bien beau, les lézards de Santa Ramona, mais tout de même, j'aimerais bien visiter la capitale.

Heureusement, Enrique va pouvoir nous accompagner; il a complété ses journées de travail au dispensaire pour cette semaine. Paul et maman préfèrent rester ici. Je pense qu'ils ont besoin d'un congé des jeunes! De

toute façon, Paul est tellement peu débrouil-
lard que je l'imagine mal en train de déplier
sa carte à toutes les intersections du centre-
ville. Quant à maman, elle a habité la capitale longtemps. Pour elle, ce n'est qu'une
immense ville polluée qu'elle préfère éviter
autant que possible.

Donc, nous partirons tous les trois demain
matin, avec Pacha, par l'autobus de sept
heures trente, à moins, bien sûr, qu'il n'arrive
encore quelque chose à Miss Catastrophe!

6

MEXICO

Le trajet se déroule bien, même si l'autobus est plutôt bondé. J'en profite pour questionner Enrique sur les origines de notre famille. Il paraît qu'on aurait des arrière-grands-parents zapotèques qui venaient d'une région du sud où les paysans sont très pauvres. Ils auraient donc migré vers Mexico, la grande ville, dans le but d'améliorer leur sort. C'est ce qu'on appelle l'urbanisation. Le problème c'est que les campagnes se vident petit à petit au profit des grandes villes qui deviennent démesurées et, par le fait même, souvent inhumaines et invivables. Il s'est ainsi créé autour de Mexico des bidonvilles gigantesques et tentaculaires dont l'ampleur dépasse l'imagination.

Heureusement, nos aïeux étaient commerçants et ils ont réussi à se tailler une place dans l'échelle sociale, ce qui est difficile, surtout quand on est Indien. J'avais déjà entendu parler des Aztèques, bien sûr, mais alors là, les Zapotèques! Enrique continue de m'énumérer les principaux peuples autochtones qui vivaient au Mexique. Il y a, entre autres, les Mayas, les Mixtèques et les Toltèques. J'ai envie de rajouter à sa liste les «high-tech» et les «hypothèques», mais je le laisse plutôt continuer son récit.

Bref, tous ces peuples indiens vivaient sur le territoire mexicain jusqu'à l'arrivée du conquistador espagnol, Cortés, qui accosta avec neuf cents hommes il y a environ cinq cents ans. Il réussit à prendre en otage le roi Moctezuma II qui fut tué et détruisit Tenochtitlán. C'est ainsi que s'appelait Mexico à l'époque où elle était la capitale de l'Empire aztèque. D'ailleurs, il est encore possible de voir à Mexico les vestiges de cette immense cité. J'ai hâte d'arriver. L'autobus s'immobilise enfin au terminus du centre-ville. Quel long voyage!

— Allons, mon chien! Sois gentil, on est arrivé!

On se met d'accord pour commencer tout de suite à visiter la ville puisque nous sommes déjà au centre de celle-ci. L'oncle d'Enrique,

Cuauhtémoc, habite en banlieue et il a été convenu que nous n'irions chez lui qu'en soirée.

— Oncle qui?

— Cuauh-té-moc, répète Enrique en détachant les syllabes.

— Quoi, c'est son nom?

— Tu es mexicain et tu ne sais pas qui est Cuauhtémoc?

Il m'énerve quand il me remet mon ignorance sur le nez.

— Bon, écoute. Les cours d'histoire mexicaine ne sont pas au programme dans les écoles au Québec. Est-ce que je te demande, moi, qui est Jean Talon ou Samuel de Champlain?

— C'est normal, je ne suis pas canadien, moi.

— Bon, d'accord, alors vas-tu me dire qui est Cuau...machin?

— Il s'agit du tout dernier empereur aztèque qui est mort vaincu par les troupes de Cortés. C'est un personnage très important. Il y a d'ailleurs une statue en son honneur sur l'avenue Insurgentes. Plusieurs Mexicains portent son nom. C'est comme un héros national, si tu veux. Tu comprends?

— Bien oui, je comprends. Je ne suis pas stupide tout de même... C'est comme le Maurice Richard des Mexicains, par exemple.

— C'est qui, Maurice Richard? me demande-t-il, intéressé.

Bon, enfin quelque chose qu'il ne connaît pas!

— C'est notre Cuauhtémoc à nous. Il y a même une statue de lui sur le boulevard Viau, près du stade Olympique, lui dis-je en imitant le ton suffisant qu'il emploie quand il se prend pour un guide Michelin.

On décide d'arrêter quelque part pour manger un peu. C'est fou comme il y a du monde à Mexico. Je comprends mieux maintenant les problèmes de pollution. Il me semble évident que des dizaines de millions de personnes ne peuvent cohabiter dans un espace aussi restreint sans que cela cause des ennuis de toutes sortes. Enrique m'expliquait aussi dans l'autobus qu'une bonne partie de la ville a été construite sur des lacs asséchés et que le sol est si spongieux que certains édifices se sont enfoncés de plus d'un mètre depuis leur construction.

Ce qui m'impressionne, cependant, dans toute cette anarchie apparente, c'est qu'il y règne quand même une forme d'organisation. Cette ville est vivante. Elle possède des organes vitaux, des artères dans lesquelles coule un flot ininterrompu de véhicules de toutes sortes. Elle a un cœur et des millions de cellules humaines qui, par leurs mouvements respectifs, contribuent à leur manière au bon fonctionnement de ce gigantesque organisme. Le tout semble dirigé par un chef d'orchestre invisible qui, du haut de son piédestal, a le pouvoir de contrôler ce mécanisme géant. Heureusement qu'Enrique est familier avec les lieux. Tandis que je me perds dans mes réflexions et analyses au sujet de cette société que je découvre à peine, lui, il se met en quête d'un restaurant où on pourrait se mettre quelque chose sous la dent.

On opte finalement pour le McDo dont la devanture familière a attiré notre attention. Cela va certainement faire plaisir à Cynthia qui a beaucoup de mal à s'habituer à la gastronomie mexicaine.

Je dois admettre que ça me fatigue quand elle lève le nez sur la nourriture de ma tante ou de ma grand-mère. Elle pourrait faire au moins un effort. C'est la plus élémentaire politesse, me semble-t-il, quand on est invité chez quelqu'un. Enfin! C'est elle qui se prive de toutes sortes de bonnes choses.

Bref, elle est toute contente de se retrouver dans un décor familier, à se délecter d'un hamburger qui goûte exactement la même chose que celui qu'elle pourrait manger au coin de chez elle.

— Il est bon, ton Big Mac?

— Super! Pourquoi tu me demandes ça?

— Parce que t'as fait quatre mille kilomètres pour en avaler un. Alors, il est mieux d'être bon, c'est tout!

Elle hausse les épaules et continue à s'empiffrer. Pendant ce temps, Enrique m'explique le programme de la journée, tout en feuilletant un guide touristique de Mexico. Il a tout préparé la veille, et ce, pour chacune des trois journées de notre séjour.

— Nous commencerons par visiter le parc de Chapultepec.

— C'est qui, lui, le frère de l'autre? dis-je en faisant allusion à son héros national de tout à l'heure.

— Non, Francis... c'est un parc où les empereurs aztèques aimaient se promener. Ça veut dire «la colline des sauterelles».

— Ah oui? Cynthia va adorer...

— Qu'est-ce que tu dis? demande-t-elle la bouche pleine.

— Rien, rien... finis ton hamburger qu'on puisse avancer, dis-je en guise de traduction.

Enrique continue. Il prend vraiment son rôle de cicérone au sérieux.

— C'est très beau et intéressant. Il y a plusieurs musées, des sculptures, un lac et même un palais!

— Génial! Cynthia va vraiment adorer!

— Qu'est-ce que vous dites? Pourquoi parlez-vous de moi tout le temps?

Tiens, elle commence à s'intéresser à ce que l'on dit.

— Pour rien, ce sont des endroits que tu vas aimer visiter, c'est tout. As-tu terminé ? Il y a des tonnes de choses à voir et on n'a pas le temps de moisir ici, surtout que le frère de Carlos, Cuauhtémoc, nous attend pour le souper.

— Qui ???

J'ai fait exprès, et elle a failli s'étrangler avec une frite.

— Laisse faire, je t'expliquerai devant sa statue.

— Quelle statue ? Il y a une statue du frère de Carlos ?

Et c'est sur cette dernière question que commence enfin notre visite de la capitale. Ça promet !

— Tiens bien ton chien, Cynthia ! Il pourrait se perdre ou se faire frapper.

— T'inquiète pas, je m'occupe de lui !

— Je propose qu'on prenne un taxi, car il faudrait marcher longtemps pour arriver au parc, dit Enrique.

— D'accord, il y en a un juste ici.

On s'engouffre dans une Coccinelle verte, toute décorée à l'intérieur, dont le chauffeur a l'air très sympathique. Il marchande le prix parce que nous sommes trois plus le chien. Je laisse Enrique régler cette question-là.

C'est alors que j'aperçois, sur le trottoir d'en face, un homme sortant d'une banque et qui ressemble à s'y méprendre à mon oncle Carlos. Je pousse mon cousin du coude.

— Eh, Enrique ! Regarde, c'est pas ton père qui est là, sur le trottoir ?

— Oui, c'est lui. Mais c'est incroyable ! Qu'est-ce qu'il fait ici ? Il ne m'a pas dit qu'il venait en ville, lui aussi.

Enrique demande au chauffeur d'avancer lentement et interpelle son père par la fenêtre ouverte :

— Hé, papa ! Mais qu'est-ce que tu fais à Mexico ? Pourquoi n'es-tu pas venu en autobus avec nous ?

— Ah ! Bonjour, les jeunes ! répond-il, visiblement mal à l'aise. Je... j'ai eu une urgence à régler... D'ailleurs, je repars tout de suite, mon avion décolle dans quarante-cinq minutes. Tout va bien ?

— Oui, oui, papa. Et toi, t'es sûr que ça va ? Tu sembles nerveux.

— Pas du tout ! Je suis pressé, simplement. Cependant, je préfère que tu ne parles pas de cette rencontre à ta mère, j'ai assez d'ennuis comme ça. On se voit au retour. Amusez-vous bien et saluez Cuauhtémoc pour moi.

Sans qu'on ait le temps de répondre, il saute dans un taxi. Quelle coïncidence tout de même de le croiser ici !

On est à peine remis de notre surprise que le taxi redémarre et emprunte l'avenue Insurgentes qui nous mène du terminus d'autobus au parc. Puis, au monument de Cuauhtémoc, le chauffeur bifurque sur une magnifique avenue. Au passage, Enrique me montre la statue du doigt et je dis à Cynthia :

— Tiens, la voilà la statue du frère de Carlos !

— Arrête de dire n'importe quoi, Francis ! Tu m'énerves.

Par la fenêtre ouverte, j'observe le paysage urbain. L'avenue de la Reforma est spectaculaire, très large, et il y a des ronds-points un peu partout qu'on emprunte en se faufilant à travers le flux de véhicules. Le chauffeur nous explique qu'il y a toujours beaucoup de circulation sur cette artère, car elle traverse la ville. Elle est bordée de chaque côté par des édifices qui ressemblent à ceux des villes que je connais.

Mexico est beaucoup plus moderne que je ne le pensais. On passe devant un gratte-ciel gigantesque, mais si étroit qu'on dirait une lame d'exacto géante qui découpe le ciel.

— C'est l'édifice de la Bourse, m'explique Enrique devant mon air ébahi.

Le chauffeur nous dépose finalement devant le Musée national d'anthropologie. Ici aussi, je suis surpris par le modernisme de l'architecture. Un immense toit de béton surplombe la cour intérieure. Cette gigantesque structure rectangulaire n'est soutenue que par un unique pilier central. Le tout semble défier les lois les plus élémentaires de la gravité. En passant dessous, je ne peux m'empêcher de souhaiter que ce soit solide.

Enrique nous guide allègrement à travers les différentes salles du musée qui regorgent de pièces datant de l'époque précolombienne, c'est-à-dire avant l'arrivée des Européens en Amérique. La Pierre du Soleil, entre autres, est très spectaculaire. Ronde et gravée, elle servait de calendrier aux Aztèques.

Cependant, j'avoue qu'après avoir déambulé parmi des poteries, des masques funéraires, des maquettes de temples et des statues de toutes sortes, je commence à en avoir marre de toutes ces antiquités aztèques, toltèques et autres «tèques». Cynthia se met à se plaindre d'avoir mal aux pieds. En plus, elle s'inquiète pour Pacha, que nous avons laissé dehors, attaché à un arbre.

— Bon, d'accord, dit Enrique à regret. Assez d'anthropologie pour aujourd'hui. Allons voir le parc !

Ça ne fait pas dix minutes que nous nous promenons sur le sentier longeant le lac, qu'Enrique nous pousse vers le Musée d'art moderne.

— Écoute, Enrique, on peut s'en garder pour demain, non ? C'est bien beau les musées, mais il ne faut pas exagérer tout de même.

— Demain, on va au Zócalo, au Palais national, à la Cathédrale et …

— D'accord, d'accord, j'ai compris ! On est pressés… c'est bon, allons-y dans ce musée puisqu'on est devant.

Mais Cynthia renâcle au moment d'entrer :

— Ah non ! pas un autre musée ! J'en ai vu assez de vieilles pierres et de potiches fêlées pour le restant de mes jours !

— Justement, ça tombe bien ! Il n'y a pas d'antiquités ici, mais de l'art moderne.

— Ah non ! Je suis trop fatiguée. Et Pacha est tanné d'être attaché, hein, Pacha ?

— Je t'avais dit de le laisser à la maison. Il aurait été beaucoup mieux là-bas.

Je consulte Enrique :

— Qu'est-ce qu'on fait ? Elle ne veut pas aller voir tes sculptures multicolores. On laisse tomber ?

— Elle n'a qu'à nous attendre dehors, c'est tout.

— Tu es sûr que je ne devrais pas rester avec elle?

— Écoute, Francis, tu ne viens pas à Mexico tous les jours. Il faut absolument que tu voies les œuvres de Tamayo, Rivera et les autres! Et moi, ça ne me dit rien d'y aller tout seul.

— Bon, bon, ça va. Écoute, Cynthia. On n'en a pas pour longtemps. T'as qu'à nous attendre ici, on va revenir dans une heure, tout au plus. D'accord?

— O.K., répond-elle en fouillant dans son sac. Je reste ici. Je vais écrire mon journal pendant ce temps.

7

CYNTHIA

— **E**lle n'est plus là ! Enrique, Cynthia n'est plus là !

— T'inquiète pas, elle a dû aller se promener avec Pacha ou elle est simplement allée aux toilettes.

— Peut-être... Il est vrai que ça ne fait pas tout à fait une heure qu'on l'a laissée devant le musée.

J'essaie de me convaincre que je m'énerve pour rien et qu'Enrique a sans doute raison. Cependant, connaissant Cynthia, je ne peux m'empêcher de m'inquiéter un peu. On s'assoit néanmoins sous un arbre. Enrique en profite pour sortir sa carte de la ville. Son oncle habite San Angel, un joli quartier résidentiel de Mexico, situé plus au sud. Il propose qu'on se rende chez lui dès le retour de Cynthia, car c'est quand même assez loin d'ici.

Je ne peux m'empêcher de la chercher des yeux parmi les promeneurs. Il y a beaucoup de monde, surtout des enfants venus participer à des fêtes de famille. Comment se fait-il qu'elle ne soit pas encore revenue?

— Bon, écoute, dis-je à Enrique après quelques minutes, reste ici, je vais aller voir si elle n'est pas à l'intérieur.

— Elle ne peut pas être à l'intérieur. Elle n'a pas le droit d'entrer avec le chien. Elle l'aurait donc laissé ici.

— C'est vrai. Alors, je vais la chercher dans les alentours. Toi, reste ici au cas où elle reviendrait entre-temps.

— D'accord, me répond-il distraitement, le nez plongé dans un guide touristique.

J'emprunte le sentier qui mène au lac. Des chiens courent à droite et à gauche, mais aucun ne ressemble à Pacha. Ça fait plus de quinze minutes qu'on attend et je commence à être sérieusement inquiet. Et si elle s'était perdue? Ou si elle avait suivi quelqu'un? Cette dernière hypothèse n'a pas beaucoup de sens; elle ne dit pas un mot d'espagnol. À

moins qu'on ne l'ait emmenée de force…
J'essaie de ne pas penser à cela, car il est
trop tôt pour tirer quelque conclusion que ce
soit. Il est nettement plus plausible qu'elle se
promène tout simplement autour du lac, ayant
oublié l'heure, c'est tout.

Alors que je me perds en conjectures, un
objet dissimulé sous une haie attire mon attention. Je reconnais Mickey Mouse! C'est son
sac à dos, j'en suis sûr. Je repars en courant
vers Enrique tout en fouillant à l'intérieur. Je
tombe sur sa trousse de maquillage, puis sur
son journal intime. Pas de doute, il s'agit bien
de son sac. Là, je commence vraiment à paniquer.

— Enrique! Enrique! J'ai son sac! lui dis-
je en essayant de reprendre haleine. Je ne
l'ai vue nulle part, mais j'ai retrouvé son sac.
Qu'est-ce que ça veut dire?

Il lève enfin le nez de son satané guide
touristique. Je lis dans son regard à tout le
moins de l'inquiétude.

— Tu es sûr que c'est le sien?

— J'ai fouillé dedans, il y a son journal.

— Peut-être qu'elle l'a laissé par distrac-
tion ou parce qu'il était trop lourd à porter,
me dit-il pour se faire rassurant.

Là, vraiment, il exagère! Et moi, je ne
trouve rien de mieux à faire que de perdre
patience. Je lui crie littéralement par la tête:

— Bordel de merde, Enrique ! Arrête de dire n'importe quoi ! Il n'est pas lourd, ce sac, et jamais elle n'aurait laissé son journal derrière elle. Il lui est arrivé quelque chose, c'est sûr. Ça fait une demi-heure qu'on attend et toujours rien ; ni elle ni le chien, juste son sac à dos. Tu vois bien que ce n'est pas normal.

— Eh bien, cherche encore, réplique Enrique sur le même ton. Appelle son père ou le FBI tant qu'à y être. Qu'est-ce que tu veux que je te dise ?

— Justement, t'as réponse à tout d'habitude. Là, on est dans la merde jusqu'au cou et, comme solution, tu me dis des conneries. Pendant ce temps, elle est peut-être en danger.

— Elle va se débrouiller, voyons, elle n'est pas si stupide que ça, quand même.

— C'est vrai, mais elle n'a que treize ans et elle n'est jamais allée nulle part avant. De plus, elle est très naïve, elle croit tout ce qu'on lui dit.

J'ai débité tout cela sans m'arrêter. Je suis vraiment stressé, surtout que je me sens un peu responsable d'elle. Jamais on n'aurait dû la laisser là toute seule. Ce n'était vraiment pas l'idée du siècle. Et tout cela à cause de l'art moderne mexicain ! Je me mets à en vouloir à ce musée de malheur et à Enrique surtout. Il aurait dû le savoir, lui.

Je lui jette un regard courroucé, lance le sac à ses pieds et croise les bras. Il se contente de me dévisager, surpris de ma réaction.

— Alors, docteur? Qu'est-ce qu'on fait maintenant, hein?

— Calme-toi d'abord, Francis, et ne m'appelle pas docteur, ça m'énerve.

— Ah, ça t'énerve? Et Cynthia qui est disparue, ça ne t'énerve pas?

— Je n'ai pas dit ça, Francis, me répond-il d'un ton calme. Seulement ça ne sert à rien de paniquer. On va se rendre au poste de police, c'est la première chose à faire. Ensuite, tu vas avertir Paul.

— Quoi! Moi, avertir son père? Et qu'est-ce que je vais lui dire? «Salut, Paul! Ça va? On est ici au milieu de la plus grande ville du monde et on a perdu ta fille unique parce qu'on voulait absolument voir les œuvres de Machin X, Machin Y et Machin Z.» C'est ça que tu veux que je lui dise? Eh bien, ne compte pas sur moi pour l'appeler. Et puis, qu'est-ce qu'il pourrait faire de Monterrey sinon passer une nuit d'enfer à s'imaginer les pires scénarios.

Enrique réfléchit.

— C'est vrai, je pense que tu as raison. Ça ne sert à rien de l'inquiéter tout de suite. On va d'abord essayer de la retrouver. Allons au poste. Les policiers vont peut-être nous renseigner.

Le trajet dure environ quinze minutes pendant lesquelles je fais le point. Je me rends compte de la gravité de la situation. Non seulement Cynthia ne parle pas l'espagnol, mais elle n'a ni argent ni pièce d'identité sur elle, du moins pas que je sache. En plus, elle ne connaît pas l'adresse d'oncle Carlos à Monterrey, et encore moins son numéro de téléphone. Même chose pour l'oncle d'Enrique, à Mexico. Bref, la situation du chien est nettement plus enviable. Je ne peux m'empêcher de faire part de tout cela à Enrique qui commence enfin à admettre qu'on a un sérieux problème sur les bras. Il se fait même des reproches, ce qui n'est vraiment pas dans ses habitudes.

— J'ai été stupide de la laisser dehors. C'est moi le plus vieux, je suis responsable de vous deux. On aurait mieux fait de laisser tomber le musée, après tout. Ça aurait été plus sage.

— C'est de ma faute aussi, Enrique. Je la connais, Cynthia. J'aurais dû prévoir qu'il lui arriverait quelque chose. On dirait que la malchance court après elle. C'est le genre de fille à attraper la malaria au pôle Nord ou à se faire frapper par la foudre au Sahara.

On arrive enfin au poste de police. Le hall d'entrée est bondé de personnes qui font la queue devant des guichets. D'autres discutent à haute voix de leur problème. Adossées au mur, trois filles vêtues de minijupes aux couleurs criardes nous interpellent grossièrement. Des prostituées, sans doute, qui attendent d'être relâchées. Sur un banc, des clochards en loques cuvent leur vin. Au milieu de tout ce brouhaha, un concierge passe, imperturbable, une immense vadrouille sur le plancher crasseux. Tout au fond, derrière un grand comptoir, des policiers sont occupés à parler au téléphone, à interroger des gens ou à remplir des formulaires.

Devant nous, une dame est en larmes ; elle s'est fait voler sa voiture. Un policier obèse, aux cheveux gras, l'écoute distraitement et entre les données dans son ordinateur tout en mâchouillant un cigare éteint et ramolli.

C'est enfin notre tour. Enrique explique ce qui nous arrive à l'homme au mégot.

— Disparue ? Mais ça ne fait même pas une heure que vous l'attendez. Peut-être est-elle allée se promener ?

Bon, encore un sceptique à convaincre ! Enrique lui explique l'histoire du chien et du sac à dos retrouvé et donne une description sommaire de Cynthia.

— Blonde, vous dites, yeux bleus ? Elle s'est peut-être fait un petit ami pendant votre absence… Une jolie fille ne reste pas seule longtemps ici, n'est-ce pas, les gars ? ajoute-t-il en haussant la voix à l'intention de ses collègues.

Il commence à m'énerver avec son mégot qu'il promène d'un côté et de l'autre de la bouche, au gré des syllabes. Et, manifestement, il ne nous prend pas au sérieux. Je décide d'intervenir, pensant être plus efficace que mon cousin :

— Écoutez, monsieur. On n'est pas venus ici pour rien. Notre amie est disparue, vous entendez ? DISPARUE. Alors, il faut faire des recherches, surtout qu'elle est citoyenne canadienne et…

Il me coupe la parole, soudainement intéressé :

— Citoyenne canadienne ? A-t-elle son passeport sur elle ?

— Heu, non, il est à Monterrey, chez mon oncle.

Il éclate alors d'un long rire gras.

— Une canadienne sans passeport ? Ha, ha, ha ! Alors, elle est aussi canadienne que moi, c'est ça ?

Je continue, malgré sa mauvaise volonté évidente :·

— Elle n'a pas d'argent, ne connaît pas la ville et surtout ne parle pas la langue.

— Ça tombe bien, son nouveau petit copain va lui en donner, des cours de langue! Pas vrai, les gars?

Un murmure d'approbation se fait entendre parmi les employés. Ils trouvent ça drôle! Pendant ce temps, les minutes passent, et cet imbécile d'agent de police n'a même pas daigné ouvrir un dossier.

Je commence à trépigner à mesure que l'exaspération s'empare de moi. Je n'ai qu'une seule envie: taper sur sa sale gueule afin qu'il se la ferme et qu'il s'étouffe avec son cigare dégueulasse. Enrique, heureusement, prend la relève. Il voit bien que je commence à pomper sérieusement et que je risque de dire des bêtises.

— Monsieur, c'est sérieux! Il faudrait, je pense, remplir une déclaration pour signaler sa disparition. Ainsi, si un de vos collègues la retrouve, vous saurez au moins de qui il s'agit. Je vais vous laisser le numéro de téléphone de mon oncle, à Mexico, où vous pourrez nous joindre.

Pour toute réponse, l'imbécile dépose bruyamment sur le comptoir un énorme cahier à anneaux rempli de feuilles salies dont il se met à feuilleter les pages écornées de ses doigts jaunis.

— Savez-vous combien de personnes disparaissent, chaque jour, à Mexico ? Avez-vous une petite idée de ce que ça représente ? Alors, vous allez me foutre la paix avec votre copine. Revenez d'ici quelques jours si vous ne l'avez pas retrouvée vous-mêmes. En attendant, faites de l'air. Suivant !

Et c'est sur ce brillant discours sur la méthode policière que notre visite au poste se conclut.

— Eh bien, on a l'air fin à présent !

— On a été stupides, Francis. Il aurait fallu que l'un de nous deux reste au parc au cas où elle serait revenue par ses propres moyens.

— C'est vrai. On devrait retourner à l'entrée du musée, peut-être qu'elle nous y attend. Chose certaine, il va falloir nous débrouiller seuls, d'après ce que j'ai compris.

Nous arpentons l'immense parc de façon systématique en nous fixant comme point central l'arbre sous lequel nous avons vu Cynthia pour la dernière fois. Je vais concentrer mes recherches dans le quadrilatère qui va du musée jusqu'au lac. Quant à Enrique, il choisit d'aller du côté du palais. Il faut faire vite, car le ciel commence déjà à s'assombrir. Dire qu'on a perdu un temps précieux au poste de police. Quelle farce ! Je n'ai jamais vu une pareille bande d'incapables.

Il fait complètement noir maintenant. La nuit est tombée sur Mexico, éclipsant du même coup nos espoirs de retrouver Cynthia aujourd'hui. Je me sens tellement mal dans ma peau... Non seulement je suis très inquiet pour elle, mais, en plus, j'ai l'impression d'avoir abusé de la confiance de Paul qui se fiait sur moi pour veiller à ce qu'il n'arrive rien à sa fille. Dire qu'il ne m'a prodigué aucun conseil, aucune recommandation ! Il s'est contenté de me donner une bonne somme d'argent pour qu'on ne manque de rien. Et je n'ai même pas pensé à en laisser un peu à Cynthia, ni à lui donner l'adresse de Cuauhtémoc à San Angel. À part le maudit Musée d'art moderne, il n'y a aucun autre endroit où l'on puisse la retrouver.

Je ne me suis jamais senti aussi coupable de toute ma vie. Ce n'est pas que j'aie tellement d'affection pour Cynthia, mais je la connais depuis longtemps et c'est la fille de Paul, tout de même... D'ailleurs, est-ce qu'on ne devrait pas lui téléphoner ? Après tout, il a le droit de savoir ce qui se passe.

J'en glisse un mot à Enrique qui n'est plus très loquace à présent. Il me propose de nous rendre d'abord chez son oncle. De toute façon, il fait trop noir pour continuer nos recherches.

— On va revenir demain matin, très tôt, avant qu'il y ait trop de monde. On va sûrement la retrouver. Elle ne s'est tout de même pas volatilisée! dit Enrique.

— Oui, mais si elle s'est fait enlever? Les ravisseurs pensent peut-être qu'elle est riche et vont demander une rançon.

— Et à qui vont-ils la demander, la rançon? Elle ne sait même pas comment joindre son père à Monterrey.

— Justement, voilà le problème. Qu'est-ce qu'ils vont lui faire s'ils ne peuvent pas l'échanger contre de l'argent? Je suis vraiment inquiet.

Enrique se contente de hausser les épaules. Un lourd silence s'installe entre nous. Nous nous dirigeons vers la station de métro qui nous mènera vers San Angel, sans trop savoir quoi faire.

8

AU DISPENSAIRE

L'oncle et la tante d'Enrique nous atten-
daient avec un plantureux repas digne d'une
horde d'adolescents affamés. Sauf que nous
n'avons pas tellement envie de manger après
les événements de la journée et le sermon
que nous a servi Sa Majesté l'empereur
aztèque quand il a compris qu'on avait perdu
Cynthia.

Avant d'arriver, nous nous étions mis d'accord pour ne rien dire aux adultes avant
demain, espérant toujours retrouver Cynthia
au parc pendant la matinée. À quoi bon
énerver tout le monde, sachant qu'il n'y a
rien à faire ? De plus, on se doutait bien qu'on
n'allait pas nous féliciter et on n'avait vraiment pas envie de se faire sermonner par-
dessus le marché.

L'oncle nous accueille chaleureusement, la tante aussi, et après maintes accolades et embrassades, ils se rendent compte que nous ne sommes que deux. Madame nous questionne, intriguée :

— Mais où est la demoiselle ? Sylvia m'a dit que vous seriez trois et j'ai préparé la chambre pour la jeune fille…

Je me suis dépêché de répondre avant Enrique. Je suis sûr qu'il n'est pas très habitué à mentir. Moi, j'ai eu pas mal d'occasions pour me pratiquer, surtout à l'école où je dois continuellement donner des explications logiques à tout le monde.

— Elle, elle n'a pas pu venir… un malaise, je ne sais pas exactement, elle a dit qu'elle viendrait nous rejoindre demain matin si ça allait mieux.

— C'est ça, on doit la retrouver à la station d'autobus, tôt demain matin, n'est-ce pas, Francis ? rajoute Enrique.

— C'est ça, demain matin, exactement !

On prend tous les deux un ton volontairement léger, heureux, afin de ne pas éveiller les soupçons.

— Ah, mais c'est parfait alors ! Je vais tout de suite appeler Carlos pour lui dire qu'elle peut venir en voiture avec Arturo. Justement, il part de Monterrey demain matin, car il a un congrès à Mexico cette semaine.

Arturo est leur fils, le cousin d'Enrique, il travaille au centre culturel Alfa de Monterrey. Ça y est, on est encore dans la merde ! Il n'aurait pas pu travailler à Acapulco, le cousin ?

— Non, non ! Ce n'est pas la peine ! patine Enrique, tout énervé. Elle préfère prendre l'autobus et possède un énorme chien... ça va déranger Arturo !

Il essaie d'éviter le pire, mais il est à court d'arguments valables. Quant à moi, à voir l'air sceptique de l'oncle, je m'aperçois que nous sommes faits comme des rats. Nos mensonges ne tiennent pas debout. Comme de fait, l'oncle s'en mêle :

— Qu'est-ce que c'est que cette histoire ? Les jeunes, vous nous cachez quelque chose... pas vrai ?

Là, on a tout à fait l'air de deux gamins de sept ans pris en flagrant délit de vol de gommes à mâcher au dépanneur. Dans deux minutes, je me mets à brailler. J'ai eu mon quota de stress pour la journée, il me semble ! Finalement, Enrique rompt le silence et raconte ce qui s'est passé. J'ajoute qu'il vaut mieux ne pas avertir Paul, car je le connais bien. Je sais à quel point il est nerveux, surtout quand il s'agit de sa fille.

Et l'oncle se met dans une colère terrible !

Et la tante pleure !

Et nous, on reste plantés là, avec l'air abruti de deux poissons faisandés se faisant engueuler. Comme si ça pouvait aider à retrouver Cynthia! Quel enfer! On le sait qu'on est cons, inutile de le hurler au voisinage entier! Il finit heureusement par se calmer et nous propose de retourner au parc dès qu'on aura avalé quelque chose.

— Il n'est pas question de rester ici à ne rien faire! ajoute-t-il d'un ton autoritaire.

Le «mole poblano» que nous sert la tante, dont j'ai oublié le prénom, est excellent, mais l'ambiance laisse plutôt à désirer. Je ne peux m'empêcher de songer à Cynthia qui doit être terrorisée, seule le soir dans cette grande ville étrangère. De plus, je me demande si je ne devrais pas prévenir maman. Elle saurait peut-être quoi faire et pourrait décider elle-même d'en parler ou non à Paul. Enrique a l'air misérable. Il pignoche dans son assiette sans avaler quoi que ce soit. Ses lunettes ont glissé sur son nez et il ne se donne même pas la peine de les relever.

On sort de table plutôt rapidement. Cuauhtémoc nous rejoint à la porte, armé de trois lampes de poche. Puis il fouille fébrilement les tiroirs de la console à la recherche de piles neuves. C'est vrai que lorsqu'on a besoin d'elles, les lampes de poche ne fonctionnent généralement pas. Encore un bon exemple de la loi de Murphy.

C'est comme en classe ; les profs ne notent jamais les devoirs quand je les fais avec soin. Par contre, si je prends un petit congé, il est certain qu'ils vont se donner un mal fou pour tout corriger et me flanquer un beau zéro ! C'est comme ça, la loi de Murphy. Impossible d'y échapper ! Surtout pas à l'école.

L'oncle finit donc par mettre la main sur ce qu'il cherchait et on s'engouffre dans sa voiture. Quant à la tante, elle nous talonne en nous donnant un tas de conseils que personne n'écoute.

Le grand sachem aztèque conduit dans la nuit comme s'il avait les troupes de Cortés à ses trousses. Je regarde les lumières de la ville défiler à toute allure et je repasse les événements de la journée dans ma tête. Un détail me frappe soudainement. J'en fais part à Enrique, qui s'amuse à jouer du xylophone en passant l'ongle de son pouce sur les dents de son peigne.

— Arrête un peu ta musique ! C'est énervant !

— Moi, ça me détend, plutôt.

— Tant mieux pour toi ! En attendant, pendant que tu fais des gammes, j'ai pensé à quelque chose…

— Ah oui ? À quoi ?

— Mets-toi à la place des ravisseurs. Est-ce que tu t'embarrasserais d'un gros chien grouillant comme Pacha, toi?

— Heu… non. Je ne pense pas. Je l'aurais laissé sur place, j'imagine.

— Alors, on devrait avoir retrouvé Pacha! Il nous connaît, il nous aurait vus dans le parc! Donc, si Pacha aussi a disparu, c'est la preuve qu'elle n'a pas été enlevée. Ils sont ensemble et probablement perdus, tout simplement!

— Ç'a du bon sens ce que tu dis. Je pense comme toi depuis le début. Allons, soyons optimistes! On va la retrouver!

Cette hypothèse me permet de respirer mieux. Au moins, il y a un espoir de se sortir de ce mauvais rêve qui a trop duré à mon goût. Cuauhtémoc nous interrompt:

— On va reprendre les recherches au parc, dit-il, et si elle n'y est pas, je retourne avec vous au poste de police. Ils vont voir à qui ils ont affaire, ces crétins.

Ça va barder s'il leur fait le genre de scène à laquelle on a eu droit tout à l'heure! Sauf que là, il risque de se retrouver avec une camisole dont les manches se nouent derrière le dos!

En empruntant l'avenue de la Reforma, nous passons devant le Musée national d'anthropologie. Un peu plus loin, un autre édifice illuminé attire mon attention. Pendant qu'on se gare, Enrique me dit qu'il s'agit d'un second musée d'art moderne, dont l'architecture futuriste a gagné des prix.

Deux musées d'art moderne ? Et si elle nous attendait là ? Et si elle s'était éloignée ? Et si elle s'était trompée de musée, tout simplement ? Je fais part de mon point de vue à Enrique.

— Oui, mais les deux musées sont différents, et il faut traverser le boulevard pour se rendre à l'autre.

— D'accord, mais Cynthia ne remarque pas tellement ces choses-là. Si elle a vu des sculptures à l'extérieur, elle aura peut-être conclu qu'elle se trouvait au bon endroit !

— Je souhaite que tu aies raison, Francis. Va vérifier pour en avoir le cœur net. Pendant ce temps, je retourne avec mon oncle à l'endroit où on l'a laissée cet après-midi. Bonne chance !

— J'emprunte le sentier qui mène à l'édifice Rufino Tamayo, l'autre musée d'art moderne. Il fait très noir. Ma lampe diffuse un timide faisceau de lumière que je promène de gauche à droite. À mesure que j'approche, je croise mes doigts et me surprends à dire :

« Mon Dieu, faites qu'elle soit là ! »

Quelques instants plus tard, comme pour répondre à ma prière, une bête énorme et poilue se jette sur moi.

— Pacha! Pacha! Mon chien! Où est Cynthia?

Pour toute réponse, il me lèche fébrilement le visage de sa grande langue visqueuse. Pour une fois, ça ne me dérange pas. Il m'apporte un tel soulagement, sans le savoir. J'espère juste qu'il n'est pas tout seul.

— Allons, viens, dis-je en me relevant. Cherche, cherche Cynthia.

Je cours derrière le chien et, comme je l'espérais, j'aperçois finalement la pauvre égarée, assise sur un banc, les genoux remontés sous le menton et la tête appuyée sur ses bras repliés.

— Cynthia!

Mon cri de joie la fait sursauter.

— Francis! Mais t'étais où? demande-t-elle d'un ton lourd de reproches.

Je n'ai pas le temps de répondre qu'elle fond en larmes, sanglotant de tout son être, exprimant à la fois sa joie, son soulagement et sa frustration. Elle ne méritait pas cela, pauvre petite. Je la console du mieux que je peux en la serrant contre moi.

— Tout va bien! Je suis là, dis-je en passant une main dans ses cheveux décoiffés et en fouillant de l'autre dans ma poche afin de lui trouver quelque chose qui pourrait servir de mouchoir.

— Mais où étiez-vous ? Je vous ai attendus toute la soirée, explique-t-elle entre deux sanglots ! Et il s'est mis à pleuvoir !

— Nous, on t'a cherchée partout, Cynthia. Mais il faisait trop noir, alors on est revenus avec des lampes. Je savais bien qu'on te retrouverait et que Pacha serait resté avec toi !

— Oui, mais pourquoi vous n'êtes pas revenus après une heure ? T'avais dit une heure, Francis, et c'était cet après-midi, ça. Te rends-tu compte ?

— On est ressortis du musée au bout d'une heure, Cynthia, comme promis. Sauf que c'était l'autre musée, celui qui se trouve de l'autre côté du boulevard. Comment se fait-il que tu te trouves ici ?

Tout en marchant, elle m'explique qu'elle a couru après Pacha qui s'était sauvé pour aller rejoindre d'autres chiens. Elle ajoute qu'elle est partie tellement vite qu'elle a même perdu son sac à dos.

— Et il y avait mon journal dedans, ajoute-t-elle en se remettant à renifler.

— T'inquiète pas, je l'ai retrouvé, ton sac ! Il est dans l'auto.

— Quelle auto ?

— Celle de l'oncle d'Enrique. Viens, allons les rejoindre. Ils seront contents de te voir. On s'est pas mal inquiétés pour toi, tu sais.

— C'est vrai ? dit-elle, surprise de l'intérêt qu'on lui porte. J'ai faim, Francis, et je suis fatiguée.

— On a tous besoin de se reposer et c'est précisément ce qu'on va faire ! dis-je en apercevant Enrique et son oncle en train de fouiller les bosquets.

Je siffle pour attirer leur attention, et ils se précipitent vers nous, visiblement soulagés de voir que tout va bien. Le cauchemar est bel et bien terminé.

Je regarde ma montre : onze heures quinze. On a dormi toute la matinée. Même Enrique dort encore. Ça fait tellement de bien d'avoir enfin l'esprit tranquille. Cet après-midi, on va sûrement retourner visiter la ville si monsieur le guide daigne s'éveiller bientôt.

— Allons, réveille-toi, Enrique… Sais-tu quelle heure il est ?

— L'heure de me lever, j'imagine, répond-il en s'étirant.

Cynthia est déjà debout, assise dans le salon avec Pacha. Elle converse avec Arturo qui est arrivé de Monterrey un peu plus tôt. Il lui parle en anglais, s'imaginant que tous les Canadiens maîtrisent la langue de Shakespeare sans problème. J'avoue que les efforts

Arturo : frère de l'oncle Carlos

de Cynthia pour aligner trois mots m'impressionnent. Elle doit vraiment trouver Arturo de son goût pour déployer tant d'énergie.

— *Yes, Pacha good dog but big!* baragouine-t-elle laborieusement.

Nous les laissons pratiquer l'anglais pendant que nous passons à table. Arturo a tôt fait de venir nous rejoindre, peu impressionné sans doute par la profondeur de sa discussion avec mademoiselle. Nous mourons de faim. En fait, c'est ça qui nous a réveillés. Tout le monde est de bonne humeur aujourd'hui et je me rends compte que l'oncle d'Enrique est nettement plus sympathique que son frère Carlos. Il nous questionne d'ailleurs à son sujet :

— Alors, Enrique, comment va ton père ? Toujours aussi occupé ?

— Justement, on l'a vu hier, en ville. Mais il était pressé comme d'habitude. Il n'arrête pas souvent… et de plus, il a investi dans un complexe immobilier sur la riviera Maya. Un énorme hôtel, je pense.

— Tu sais, Enrique, ton père est un homme intelligent et très ambitieux. Même quand il était petit, il voulait toujours gagner et être le premier. Quand il étudiait la médecine, il avait toujours des projets qui prenaient beaucoup de son temps. Il n'a pas changé à ce que je vois !

Sur ce, mon cousin s'excuse et se lève. Il veut retourner en ville et profiter de la gentillesse d'Arturo qui s'est porté volontaire pour nous accompagner. C'est une bonne idée, surtout que ça oblige Cynthia à laisser Pacha ici, faute de place dans la voiture. *Pacha good dog but big…*

Notre fin de semaine à Mexico s'est bien déroulée finalement, aucun nouvel incident n'étant survenu. J'ai appris plein de choses et visité des endroits spectaculaires. Le *Zócalo*, par exemple, qui est la deuxième plus grande place au monde, après la place Rouge de Moscou. Cet immense espace situé au cœur de la ville se nomme aussi *la* Plaza de la Constitución. Tout autour, il y a plusieurs grands musées et surtout la cathédrale de Mexico. Ces renseignements nous viennent d'Arturo, pour changer. D'autre part, j'ai enfin compris qui était la figure religieuse que j'avais vue dans l'auto d'Enrique. Il s'agit de la Vierge de La Guadalupe qui est apparue au XVIe siècle à un Indien du nom de Diego[11]. On a érigé, à l'endroit du miracle, la fameuse

[11] Juan Diego Cuauhtlatoatzin a été canonisé, en juillet 2002, par le pape Jean-Paul II. C'est le premier Indien d'Amérique à être fait saint par l'Église catholique romaine.

cathédrale où l'on peut d'ailleurs admirer la tunique de Diego, sur laquelle l'image de la Vierge s'est imprimée. Cela devait lui servir de preuve puisque personne ne le croyait, évidemment.

Du reste, son visage a aussi les traits d'une Indienne, avec un sourire triste et la tête inclinée sur le côté. Elle est vraiment très populaire. On la voit partout.

Pendant le voyage de retour à Monterrey, Enrique me propose de l'accompagner au dispensaire le lendemain matin. J'hésite. La perspective de passer une demi-journée à côtoyer la misère humaine ne me dit pas grand-chose. J'ai déjà du mal avec certains patients de Carlos. L'autre jour, il y en a un qui est arrivé à la maison avec un bandage tout ensanglanté… Dégoûtant! Alors, j'imagine aisément que le spectacle des malades qui défilent dans cette espèce de centre médical n'aura pas le même effet sur moi qu'un concours de *cheerleaders*.

— Allons, Francis, insiste Enrique, tu vas voir comment ça se passe, ce que je fais là-bas. Tu pourras même m'aider un peu si tu veux.

— Je ne voudrais pas te décevoir, Enrique, mais je n'ai vraiment pas, mais vraiment pas du tout, la fibre médicale. Juste l'idée d'une prise de sang me rend malade. Alors, pour ce qui est de t'aider, je pense que tu ne devrais pas trop compter sur moi…

— Fais donc un petit effort, Francis. De toute façon, tu n'as rien d'autre à faire à la maison et vous ne partez à la mer qu'à la fin de la semaine prochaine. Ça va te changer un peu, te faire voir autre chose. Et puis, Eduardo, l'infirmier, est vraiment sympathique !

— Bon, d'accord, dis-je pour le contenter. Mais seulement une fois, après tu me laisses tranquille, d'accord ?

— Super ! répond-il, visiblement heureux. Je suis sûr que ça va t'intéresser !

En effet, il ne pouvait pas viser plus juste, ça m'a fortement intéressé. Seulement, ce ne sont pas les enfants morveux qui reniflent dans les bras de leur mère, ou ces gens âgés au regard fiévreux qui m'ont intéressé. Non, ce ne sont pas tous ces misérables qui ont afflué sans arrêt pour venir chercher un conseil, un peu d'aide ou un médicament qui m'ont intéressé. C'est *elle.*

Elle qui faisait la queue patiemment, bavardant avec les autres, comparant l'ampleur de leurs blessures. *Elle* qui soulevait nonchalamment ses cheveux longs afin de laisser la brise rafraîchir sa nuque et mon regard caresser celle-ci.

Elle qui explique simplement à Enrique comment elle s'est tailladé le pied une autre fois le matin même, sur un tesson de bouteille alors qu'elle travaillait… au dépotoir.

Encore *elle* qui m'effleure négligemment la main lorsque je lui tends un pansement. Et surtout *elle* qui nous remercie en nous gratifiant du plus bouleversant sourire qu'il m'ait été donné de voir, puis qui fait demi-tour, emportant dans son sillage le comble de la beauté.

Oui, Enrique, tu avais raison, ton dispensaire est vraiment intéressant. Depuis cet instant où *elle* a illuminé mon champ de vision, il n'y a rien d'autre sur cette terre qui m'intéresse à part *elle*.

Elle s'appelle Rosa, me dit mon cousin, habite le bidonville adjacent à la clinique et passe ses journées à arpenter le dépotoir municipal afin de trouver des objets à revendre et souvent, quelque chose à manger. C'est horrible ce qu'il m'explique, mais ces détails me la rendent encore plus attachante parce que plus fragile. Malgré tout, je l'ai laissée partir, sans rien dire, trop impressionné ou trop intéressé, comme dirait mon cousin. Je n'ai que le souvenir de ses doigts frêles qui effleurent les miens, caresse involontaire qui me fait frissonner dès que j'y repense.

9

ROSA

Il faut absolument que je retrouve cette fille. J'ai pensé à elle toute la nuit. J'avais beau essayer de me calmer, de rythmer ma respiration, de compter des moutons, je ne pouvais fermer l'œil. J'avais le cœur qui battait tellement vite et fort que je ressentais ses pulsations dans l'oreiller. Je revoyais avec précision tous les détails de sa physionomie : sa silhouette simple et élancée, la légèreté de ses mouvements qui faisaient ondoyer sa jupe autour de ses hanches, et sa blouse blanche, immaculée, translucide, d'où émanait une luminosité envoûtante. Je revoyais aussi son décolleté rond, pudique à première vue, mais qui laissait pourtant entrevoir la naissance de ses seins fermes, charnus, appétissants. Elle m'a littéralement rendu fou. Serait-ce ça, le coup de foudre ?

Et Marie-Ève dans tout cela ? Manifestement, elle ne semble qu'un pâle reflet de ce que j'ai découvert ici, hier après-midi, au cœur d'un bidonville mexicain. J'arrive à peine à me souvenir du regard bleuté de Marie-Ève, son visage me paraît flou, flasque, sans éclat ni intérêt. Dorénavant, il n'y a rien qui puisse égaler le regard de Rosa. Je suis ensorcelé par ses yeux sombres où brillent mille étincelles d'espoir comme autant d'étoiles dans un ciel d'encre. Je revois dans ma tête ce profil de déesse au teint d'albâtre, duquel se découpe un nez parfait, une bouche volontaire et une chevelure longue et soyeuse aux reflets bleutés. Cette fille, cette femme… je ferais n'importe quoi pour elle ; mais d'abord, il faut que je la retrouve.

Puisque je n'arrive pas à dormir, je décide de quitter la maison dès l'aube. Peut-être qu'ainsi j'arriverai à la surprendre avant qu'elle ne quitte sa maisonnette. Je laisse un mot sur la table expliquant que je suis allé prendre des photos du lever du soleil, question de ne pas inquiéter maman, ni d'avoir à subir un interrogatoire en règle à mon retour. Quant à Enrique, il ne se posera pas de questions, il doit passer la journée à la bibliothèque.

Je passe d'abord par la cuisine. Le chat d'Enrique se frôle contre mes jambes en miaulant de toutes ses forces afin que je lui serve son déjeuner. Quant à moi, je fouille dans le garde-manger, subtilisant quelques denrées ici et là de manière à ce que mon larcin passe inaperçu. Dans mon sac à dos, j'empile pêle-mêle trois ou quatre boîtes de conserve, un sac de fèves noires, quelques fruits et une demi-douzaine de tortillas. J'ajoute aussi une tablette de chocolat qui me restait des provisions que j'avais achetées à Laval avant de partir en voyage. Je me donne un coup de peigne rapide, mets ma casquette et pars dans la fraîcheur du soleil levant.

Peu d'autobus circulent à cette heure-ci. Je dois donc marcher longtemps avant d'atteindre le centre-ville de Monterrey. J'apprécie quand même ces moments de tranquillité, ça fait si longtemps que je n'ai pas été seul. J'en profite pour observer la ville qui s'éveille. Quelques ménagères ouvrent les volets de leurs fenêtres, d'autres balaient déjà le pas de leur porte et me regardent passer avec indifférence.

Je suis heureux de ressembler à un Mexicain, de pouvoir me fondre dans la population locale sans avoir l'air d'un touriste qui vient les observer avec un appareil photo au cou. Au Québec, les gens restent parfois surpris quand je leur dis que je m'appelle Francis Pelletier. Ils s'attendent toujours à ce que je porte un nom assorti à mon look latino. Mais ce n'est pas grave. Je n'ai pas à me plaindre. Les filles aiment bien mon teint foncé et ma façon de leur faire du charme. Je suppose qu'elles ont aussi un faible pour les anneaux d'argent que je porte aux oreilles et qui me donnent l'air d'un lanceur de couteaux gitan ou quelque chose du genre. Bref, ce petit côté exotique que j'ai en moi et qui me vient de ma mère, et ces traits réguliers et sympathiques que j'ai hérités de mon père constituent un heureux mélange. Enfin, c'est ce qu'on me dit depuis que je suis petit !

Reste à savoir si la belle Rosa s'intéressera à moi. J'aimerais tellement qu'elle soit là, espérant me revoir elle aussi. A-t-elle pensé à moi cette nuit ? Ou est-elle déjà amoureuse de je ne sais quel personnage qui rôde dans son milieu ?

Sur ces entrefaites, j'arrive à la place du marché, passablement animée ce matin. Les marchandes bavardent entre elles derrière leurs étals de légumes, de fruits colorés et d'épices variées qui répandent dans l'air leurs parfums entêtants.

Toutes ces odeurs et la marche de deux ou trois kilomètres que je viens de faire m'ont sérieusement creusé l'appétit. J'hésite à me servir à même les provisions de mon sac. Tout ça, c'est pour elle, pour soulager momentanément son estomac vide, pour la faire sourire encore une fois, pour lui faire plaisir… ou plutôt, pour me faire plaisir. En fait, si je suis honnête, c'est pour moi que j'apporte ces choses, pour goûter au bonheur ultime que me procurera sa joie. Pour que je me sente mieux, moi, Francis, à l'idée qu'aujourd'hui elle et sa famille mangeront comme il faut. En définitive, c'est presque par égocentrisme que je lui fais ces petits cadeaux, car, à partir d'aujourd'hui, mon bonheur, c'est d'abord le sien.

Je réfléchis à tout cela tout en engloutissant deux épis de maïs bouillis que j'ai achetés à l'étal d'une vendeuse édentée et pourtant souriante. Je me sens vraiment bien, malgré cette nuit sans sommeil. J'ai bon espoir que j'aurai de la chance et que je la retrouverai parmi les milliers de personnes qui partagent son quartier. Comme si un instinct sûr s'était réveillé en moi et me guidait dans les rues de cette grande ville que je connais pourtant à peine.

Je débouche finalement sur la place centrale. En attendant l'autobus qui mène au dispensaire, je m'assieds à l'ombre d'un immense olivier. J'en profite pour observer la cathédrale baroque qui se dresse devant moi.

La façade est sculptée de haut en bas. Elle est sûrement très ancienne. À l'arrière-plan émerge l'incontournable gratte-ciel «Faro de Comercio» qui se découpe dans le ciel. Provocant par sa couleur orangée et sa taille démesurée, il contraste étrangement avec la cathédrale, tellement plus petite et sculptée.

Le ronronnement de l'autobus qui me mènera, je l'espère, vers elle interrompt mes observations. Je laisse tout le monde descendre et m'installe à l'avant, près du chauffeur. Heureusement, le véhicule se met en branle rapidement; il commence à faire chaud et de l'air entre enfin par la fenêtre ouverte. Vingt minutes plus tard, je descends devant le dispensaire où travaille Enrique.

Je pénètre finalement dans le quartier populeux où habite Rosa. De petites ruelles sinueuses louvoient entre des baraquements insalubres qui servent de maisons aux habitants. La plupart sont faites de planches ajourées, de longueurs inégales, se superposant de gré ou de force afin de constituer ce qu'il convient d'appeler des murs. Leurs façades sont percées d'une porte et parfois d'une fenêtre. Quant au toit, il est fait de tôle ondulée, inclinée d'un côté, sans doute afin de faciliter l'écoulement de l'eau de pluie.

Certaines masures se distinguent par une affiche rouillée de style Coca-Cola, clouée à la hâte pour boucher une ouverture ; d'autres possèdent des lambeaux de tissus pendant aux fenêtres et faisant office de rideaux ; mais la majorité d'entre elles se ressemblent, se confondent par leur dépouillement le plus total. Comment faire pour retrouver celle où habite Rosa ? J'aurais dû mieux me renseigner hier, trouver un point de repère, quelque chose qui pourrait me guider.

Maintenant que le vent se lève, les relents du dépotoir commencent à se manifester. Personne n'y prête attention. Les rues grouillent littéralement d'enfants, pieds nus, qui pataugent dans la fange. Un ruisselet d'eau souillée s'écoule paresseusement au milieu de la route de terre, creusant une rigole où s'accumulent des papiers et des déchets de toutes sortes que reniflent des chiens errants émaciés.

Vêtus de t-shirts sales, les enfants, me tendent parfois la main en espérant quelques sous. J'ai du mal à être témoin de toute cette misère qui s'étale devant mes yeux, mais je me sens si impuissant devant l'ampleur de cette pauvreté que j'essaie de ne plus la voir. L'image de Rosa se superpose à la réalité et m'aide à garder mon sang-froid. Je déambule parmi ces misérables. J'arpente leurs ruelles infectes à la recherche d'une fleur, une fleur enchantée qui s'est épanouie au milieu d'immondices et qui m'a ensorcelé : Rosa...

Je l'aperçois enfin, de dos, remontant la rue. Je réalise du même coup que je n'ai pas beaucoup réfléchi à la façon de l'aborder. Tant pis, je vais jouer la carte de la spontanéité, comme je fais d'habitude. J'ai les entrailles qui se nouent. Allons, Francis, un peu de courage !

— Rosa !

Je l'interpelle une première fois, sans succès. Puis j'élève la voix :

— ¡Señorita Rosa !

Cette fois-ci, elle se retourne. Elle est là devant moi, encore plus belle qu'hier, rayonnante de féminité. Je reste immobile, pétrifié, incapable d'articuler quoi que ce soit.

— ¿Si Señor ? me répond-elle, un peu surprise, les mains sur les hanches.

— Je... je suis le cousin d'Enrique, tu sais, l'infirmier du dispensaire. Je... je m'appelle Francis. Francisco si tu préfères.

— Ah oui ! Le cousin canadien ! Et que puis-je faire pour toi, Francis ?

— Bien, rien, je passais, simplement.

— Ah ! Tu passais par ici, comme ça, par hasard ?

— Euh, non, à vrai dire pas tout à fait. Comment va ton pied ? Je... est-ce qu'on pourrait aller, euh, quelque part ? Au parc, par exemple. On pourrait discuter, faire connaissance.

— Au parc? Bien sûr, au parc. Il y en a à tous les coins de rue par ici, me répond-elle ironiquement.

Ce que je peux être con parfois ! J'aurais pu trouver mieux comme suggestion. J'essaie de me rattraper :

— Chez toi, alors. J'ai apporté quelques petites choses pour ta famille et...

Elle me coupe la parole :

— Écoute-moi bien, le Canadien. Figure-toi que je n'ai pas que ça à faire, d'aller bavarder avec toi. Je travaille, moi, et je suis déjà en retard. Alors, bonjour ! Et puis, j'ai pas de famille.

— Mais...

— Quant à tes trucs, tu trouveras bien quelqu'un à qui les donner par ici. Je n'ai pas besoin qu'on me fasse la charité. Je me débrouille parfaitement toute seule.

Sur ce, elle me tourne le dos et continue d'avancer à grandes enjambées sur le chemin cahoteux. Perplexe, je ne me laisse pas décourager pour autant.

— Hé, attends-moi ! Je ne te veux pas de mal. Je veux te connaître mieux, c'est tout. Pourquoi es-tu si pressée ?

— Ça ne regarde que moi, répond-elle sèchement.

Et elle accélère la cadence, faisant fi de mon insistance. Excédé par sa réaction, je la prends par le coude afin de la faire pivoter et de la forcer à me regarder.

— Écoute, Rosa, je sais ce que tu fais au dépotoir. Ça ne me fait rien, tu sais. Seulement, n'y va pas aujourd'hui. Ce serait mieux pour ta blessure et puis, regarde, j'ai plein de choses dans mon sac, plus que tu n'en trouveras à fouiller toute la journée là-haut.

Je sens qu'elle commence à hésiter. La perspective d'une journée de repos n'est pas pour lui déplaire. Elle essaie discrètement de discerner le contenu de mon sac. Je ne veux pas le lui déballer tout de suite, histoire de l'amadouer encore un peu. Et dire que je pensais qu'elle serait ravie de me revoir ! J'ai été plutôt naïf et j'ai vraiment sous-estimé sa fierté ! Cependant, elle y a droit, c'est à peu près tout ce qu'il lui reste.

— Bon, d'accord, finit-elle par répondre. J'accepte à une condition.

— Ah oui, laquelle ?

— Viens, je vais te montrer. Suis-moi.

10

UN PETIT PRINCE

Elle me prend spontanément par la main et m'entraîne dans un lacis de ruelles, chez elle, je suppose. On arrive enfin devant une porte béante qu'elle franchit d'un pas assuré. J'entre derrière elle. Mes yeux ont du mal à s'accoutumer à l'obscurité de cette pièce unique. Cependant, petit à petit, je commence à distinguer l'univers qui est le sien, grâce à la lumière du soleil qui filtre d'un peu partout.

La pièce doit mesurer deux mètres sur trois, grosso modo, comme le cabanon de jardin chez Sébastien! À terre, le long du mur, je distingue un matelas douteux, recouvert d'une couverture rayée. Sur le mur adjacent, plus étroit, se trouve une petite table défraîchie, recouverte d'une nappe de dentelle sur laquelle s'entassent des chandelles et des lampions colorés. Au-dessus, bien en évidence, nulle autre que la sainte patronne des Mexicains, la Vierge de La Guadelupe, qui nous observe de ses yeux bruns, la tête décorée de fleurs artificielles qui pendent de chaque côté du cadre. En face de ce petit autel de fortune, sur l'autre mur, une caisse de bois fait office de comptoir de salle de bain. Sauf qu'il n'y a pas de bain, encore moins de salle, juste une cuvette de plastique et de petits morceaux de savon agglutinés, maintenus ensemble dans un filet à oignons.

Pendant que j'observe silencieusement ce décor modeste, Rosa monte sur le matelas et se hisse sur la pointe des pieds pour atteindre une tablette suspendue au-dessus du lit et supportant une demi-douzaine de bouquins maintenus en place par deux pierres.

À droite des livres se trouve un cadre que Rosa soulève précautionneusement. Je reconnais aussitôt la reproduction du Petit Prince, celui de Saint-Exupéry, debout sur son astéroïde truffé de volcans, le foulard au vent. La vitre est sale et une longue fissure la traverse en diagonale. La jeune fille me met le cadre entre les mains et pointe du doigt une phrase imprimée en haut de l'illustration.

— Qu'est-ce qui est écrit là? C'est en français, je crois.

— C'est ça, ta condition ?

— Oui ! J'ai trouvé cette image l'année dernière, et personne n'a su m'expliquer ce qui y est inscrit. Ça doit être important pourtant, puisque c'est encadré.

Je lis : « On ne voit bien qu'avec le cœur ; l'essentiel est invisible pour les yeux. »

— Tu as raison, Rosa, c'est du français. Attends un peu, je vais essayer de te traduire cela.

Je réfléchis, mais je ne sais trop quoi dire. Les mots me manquent, on dirait. Je l'ai lu pourtant, ce livre, en troisième année, au primaire, mais je n'y avais pas compris grand-chose à l'époque. J'avais retenu l'histoire du mouton et du serpent… c'est tout.

Puis, au secondaire, un prof nous avait fait lire un passage, celui de la rose que le Petit Prince avait apprivoisée et dont il s'occupait. Je me rappelle aussi la leçon du renard qui expliquait que ce qu'on apprivoise devient unique au monde. Le professeur avait ensuite écrit la phrase célèbre de Saint-Exupéry au tableau, celle-là même que Rosa me demande de traduire. Mais, perdu dans mes pensées, je n'ai rien écouté de ses explications. En fait, je ne comprenais pas pourquoi on accordait une telle importance à cette histoire farfelue, à la fois trop compliquée pour les petits enfants et trop simpliste pour les plus grands.

Aujourd'hui, c'est la belle Rosa qui attend, fébrilement, que je puisse lui décoder cette phrase. Elle patiente, le regard inquisiteur, pendant que j'essaie d'articuler quelque chose de sensé, que je cherche l'équivalent espagnol de ces quelques mots lourds de sens.

— Alors, qu'est-ce que ça signifie ? s'enquiert-elle. C'est écrit en français, oui ou non ?

— Oui, oui, je te l'ai dit, mais c'est difficile à expliquer.

J'essaie de traduire simplement :

— *Uno no ve bien que con el corazón. Lo esencial es invisible a nuestros ojos.*

Je pense qu'elle a compris, malgré la simplicité du vocabulaire que j'ai employé, car elle répète la phrase après moi, lentement, en détachant les mots comme pour essayer de la mémoriser.

— J'avais raison, c'est très important ce qu'il dit, ce petit garçon blond. Ça mérite bien un cadre, dit-elle en replaçant l'objet sur sa tablette. Merci, Francis, ajoute-t-elle, reconnaissante.

Puis elle me sourit encore une fois comme elle l'a fait hier au dispensaire. Et me revoilà transporté au paradis ! Une phrase ! Je n'ai eu qu'à lui traduire une simple phrase pour profiter à nouveau de cet instant magique où l'électricité circule entre elle et moi, faisant battre mon cœur à tout rompre.

Je prends ses mains dans les miennes et je plonge mon regard dans ses yeux sombres. Moi aussi, je souris. Jamais je n'ai été si heureux et dire que c'est grâce à un aviateur français et à son Petit Prince. Qui aurait cru ?

Je romps toutefois le silence en ouvrant mon sac. C'est bien beau la littérature, mais il faut manger aussi. Je m'assois donc sur le matelas et déballe les provisions sur le lit. Rosa revient avec une planche qu'elle a sortie de je ne sais où et l'installe sur deux briques de ciment en guise de table. Puis elle s'assoit sur un coussin, face à moi. Avec un peu d'imagination, on se penserait dans un restaurant japonais !

Elle dispose les victuailles dans deux assiettes ébréchées. J'insiste pour qu'elle en prenne davantage, prétextant un manque d'appétit. Elle ne perd pas une seconde et entame ce repas frugal avec avidité. Ça fait plaisir de la voir manger de si bon cœur en savourant chaque bouchée.

— Excuse-moi pour tantôt, Francis. Je n'ai pas été très gentille.

— C'est pas grave !

— Si, c'est grave, j'aurais pas dû te parler sur ce ton, mais à force de vivre ici, on apprend à se méfier de tout le monde. C'est une question de survie. Chacun pour soi.

— Je comprends.

— Et il arrive que des journalistes viennent faire des reportages ou que des touristes
veulent nous observer et nous photographier.
Je n'aime pas qu'on me prenne pour une
curiosité locale ou un animal de cirque.

— C'est normal, Rosa. Mais il faut aussi
être capable de faire confiance aux autres
dans la vie. Il n'y a pas que des malheurs qui
se produisent. Il faut parfois laisser une chance
à la chance… Tu comprends?

Bon, voilà que je me prends pour Enrique,
avec mes explications compliquées qui se ter-
minent par «tu comprends?»

— Non, justement, je ne comprends pas.
Comment peux-tu parler de chance en voyant
où je vis et comment je me nourris? Tu sais,
ça me gêne de te recevoir ici, toi qui es si
riche. Mais je voulais tellement connaître la
signification de la phrase en français. Et je
l'avoue, j'avais faim aussi.

— Rosa, tu n'as pas à être gênée de quoi
que ce soit. Je suis certain que tu n'es pas
responsable de ta situation, surtout à ton âge.
Au fait, quel âge as-tu?

— Quinze ans, presque seize.

— Tu es jeune. Ce n'est donc pas toi qui
as choisi cette vie. C'est la vie elle-même qui
te l'a imposée. Et puis, je ne suis pas si riche

que ça. À Laval où j'habite, nous n'avons qu'une petite maison sans piscine et une seule voiture. Je vis seul avec ma mère qui ne gagne pas un gros salaire, alors...

Elle hausse les épaules et me coupe la parole avec ironie :

— Alors, tu n'as qu'une petite maison sans piscine et une seule voiture.

Un long silence s'installe entre nous. Cette pause forcée me permet de réaliser l'énormité de ce que je viens de dire. Uniquement en revendant mon baladeur, je pourrais lui payer de quoi se vêtir convenablement. Juste la facture du câble de télévision pourrait la nourrir adéquatement pendant au moins un an. Sans compter mon ordinateur et ses logiciels, mes jeux vidéo, mon système de son et ma quarantaine de disques. Bref, en vendant tout ce que je possède, je pense que je pourrais faire vivre le quartier au complet pendant un mois ! Et pendant ce temps, j'essaie de la mettre en confiance en lui disant que je ne suis pas riche ! Je pense que je vais avoir du travail à faire pour la convaincre de ma pauvreté.

Alors que je réfléchis à tout cela, elle déguste son chocolat lentement, profitant de chacun des morceaux. Elle ferme les yeux à chaque bouchée, comme pour mieux jouir de ce luxe auquel elle n'est pas habituée. Ses longs cils recourbés ornent ses yeux clos comme une frange au bas d'un vêtement. Comme elle est belle! Je constate aussi, par ses remarques, qu'elle n'est pas bête non plus, la jolie Rosa. Je n'ai qu'à bien me tenir, ce n'est pas le genre de fille à se laisser embobiner par le premier venu.

— Que c'est bon… Francis! Merci encore. Ça doit faire au moins deux ans que je n'ai pas mangé de chocolat. J'en trouve parfois, mais il est toujours tout fondu, c'est trop dégoûtant.

J'essaie de changer de sujet. J'ai déjà du mal avec l'idée qu'elle passe ses journées à fouiller dans les ordures, je n'ai pas besoin d'avoir plus de détails à ce sujet.

— Tu vis seule ici, Rosa?

— Oui, depuis que ma mère est morte de je ne sais quelle sale maladie, l'année dernière.

— Et ton père?

— Mon père? Je ne sais pas. Maman ne m'en a jamais parlé. D'ailleurs, je pense qu'elle n'en savait pas tellement plus que moi. Pour ce que ça change…

— Ah! Et tu as toujours habité ici?

— Jamais de la vie! répond-elle, insultée. Avant, maman travaillait dans une grande usine de pièces électroniques. Elle était chargée de l'empaquetage. L'entreprise exportait partout en Amérique, et même au Canada, je crois.

— Et puis…

— Maman est tombée malade. Au début, elle réussissait à le cacher, mais après un certain temps, on s'en est rendu compte, et elle a été mise à la porte. Elle ne travaillait plus assez vite. Puis elle a vendu tout ce qu'elle avait pour réussir à survivre, mais un matin, le propriétaire nous a forcées à quitter notre logement. On s'est installées ici et j'ai dû quitter l'école. Mais je me suis tout de même rendue en quatrième année ! ajoute-t-elle avec fierté. Et toi, Francis, tu vas encore à l'école ?

— Euh… oui.

J'allais ajouter que, fort heureusement, je n'en avais plus pour longtemps, mais elle ne m'en laisse pas le temps. Elle me lance, le regard plein d'admiration :

— Ce que tu en as de la chance ! Tu dois être très, très instruit alors ?

— Instruit ? Pas tant que ça, quand même, lui dis-je avec une humilité forcée.

— Mais ça fait quoi, dix ans que tu vas à l'école ? Tu dois en savoir des choses ?

— Oui, un peu, mais tu devrais voir mon cousin Enrique, celui qui travaille au dispensaire…

Elle ne m'écoute plus. Elle semble soudainement perdue dans ses pensées réfléchissant à ce que je viens de lui dire.

— Dix ans à l'école! Comme j'aurais aimé ça! Tu as dû lire des centaines de livres pendant toutes ces années?

Ah non! Pas une autre «bolle» comme Enrique. Avec lui, au moins, je peux dire que je ne m'intéresse pas à ses gros livres, ces cycles de machin-chose et ses intégrales de machin-chouette. Mais, devant Rosa, je ne veux pas passer pour le dernier des crétins, surtout qu'elle a l'air de me prendre pour un futur Prix Nobel. J'espère juste qu'il n'y a pas que les livres qui l'intéressent, car nos conversations risquent d'être plutôt brèves. J'essaie de sortir de cette impasse en restant plutôt vague. Je ne voudrais pas lui mentir ni surtout la décevoir.

— Heu, oui… On en a toujours plusieurs à lire.

— Ah oui, lesquels?

Une chance qu'au moins je peux lui en nommer un!

— Par exemple, *Des fleurs pour Algernon*.

Je me creuse la tête désespérément pour trouver d'autres titres. J'ajoute:

— *Le Petit Prince* aussi.

— C'est un livre?

— Oui, il est sûrement traduit en espagnol. Je vais demander à ma mère et j'essaierai de te le procurer.

— Oh oui! Bonne idée. J'aimerais le lire au complet! J'adore ça, les livres. Regarde, j'en ai beaucoup!

Elle remonte sur le matelas, tout juste à côté de moi, et s'étire pour attraper les bouquins sur sa tablette. J'en profite pour jeter un coup d'œil à ses longues cuisses qui disparaissent sous sa jupe, faisant naviguer mon imagination… Vive les livres!

Ce moment n'aura duré qu'une seconde… mais je sais que l'image de sa peau mate qui recouvre sa chair ferme saura agréablement meubler mon esprit jusqu'à ma prochaine visite. Elle se rassoit à côté de moi, replaçant sa jupe et m'expliquant que la tablette est un peu haute. L'ancien locataire était sûrement un joueur de basket-ball, me dit-elle en riant. Vive le basket-ball!

Elle me montre ensuite ses livres, dont les couvertures sont déchirées et tachées. Certains sont en deux morceaux, maintenus ensemble par un élastique. Elle m'explique avec enthousiasme:

— Celui-là, c'est mon préféré. Je l'ai lu trois fois. Je l'ai trouvé à Pâques, ficelé avec un tas de journaux. Celui-ci aussi, je l'aime beaucoup. C'est le meilleur livre d'Octavio Paz. Est-ce que tu aimes Octavio Paz?

— Heu, c'est qui, Octavio Paz?

Elle me regarde les yeux ronds, consternée par ma réponse.

— Tu ne sais pas qui est Octavio Paz ? C'est le plus grand écrivain mexicain ! Le plus connu !

On dirait qu'Enrique et elle se sont ligués pour que je me sente comme le dernier des crétins. Pourtant, ils se connaissent à peine. Je lui donne la même explication que j'ai servie à mon cousin à propos de son empereur aztèque. Sauf que je garde mon calme. Je ne voudrais pas qu'elle me trouve trop soupe au lait.

— Tu sais, Rosa, je suis toujours allé à l'école française à Montréal. C'est normal qu'on étudie les auteurs français, surtout ceux du Québec.

— C'est logique ! Et c'est qui, ton écrivain québécois préféré ?

Quoi que je réponde, on dirait que je me fais systématiquement coincer. Je ne pensais pas que ma visite chez Rosa aurait des allures de cours de littérature. Je réalise qu'elle a l'air d'en connaître plus que moi à bien des égards, avec ses quatre années à l'école et ses six malheureux bouquins amochés qu'elle a trouvés parmi les déchets.

Rosa est animée d'une soif d'apprendre intarissable qui fait briller ses yeux lorsqu'elle attend mes réponses. Je vois qu'elle réfléchit à ce que je lui dis, qu'elle essaie de mémoriser chaque bribe d'information nouvelle que je lui apporte, comme un petit enfant dont l'intelligence s'éveille devant un écran d'ordinateur. À force de me concentrer, je me rappelle des noms d'auteurs qu'on a étudiés au cours des dernières années et je lui en énumère quelques-uns, sans trop entrer dans les détails. J'évite d'autres questions en prétextant que je dois partir, ce qui est vrai d'ailleurs.

— Il y a Émile Nelligan, un poète, puis Michel Tremblay et Anne Hébert. Il y a aussi les écrivains français, Victor Hugo, Émile Zola, et plein d'autres... Je t'en reparlerai, si tu veux, la prochaine fois... Si tu souhaites une prochaine visite, bien entendu...

Elle ne dit rien. Elle se contente de sourire, le regard plein de mystère et de promesses. Puis elle s'approche doucement et m'embrasse légèrement, subtilement sur les lèvres et me murmure simplement :

— À demain, Francis.

Je suis comblé, je l'aime.

Merci la vie !

11

LE MANCHOT

J'essaie d'entrer chez ma tante le plus discrètement possible. J'ai juste envie d'aller m'étendre sur mon lit pour repenser aux moments magnifiques que j'ai vécus avec Rosa. Je suis donc en train de refermer doucement la lourde porte d'entrée quand Pacha me saute dessus avec sa discrétion habituelle. Il n'en faut pas plus pour que toute la maisonnée se retrouve dans l'entrée. Les questions pleuvent. On dirait l'Inquisition. Moi qui voulais la paix !

— Ah, te voilà enfin ! dit maman. Mais où étais-tu ? Il est plus de trois heures de l'après-midi et on n'avait aucune nouvelle de toi! Ça ne se fait pas de disparaître comme ça! Je commençais à être inquiète, moi!

— Et qu'est-ce que tu veux qu'il m'arrive? Tu as peur que je me fasse bouffer par un serpent en plein centre-ville ou que des maniaques de Monterrey me courent après, tout nus sous leur imperméable?

— Arrête de dire des niaiseries! C'est ridicule! Tu devrais avoir honte devant ta grand-mère et ta tante, me dit-elle en français afin de les tenir à l'écart de notre discussion intelligente.

— Bon, alors, ne me questionne pas, c'est tout. Il n'est pas trois heures du matin, non?

Je réalise qu'on a bien fait de ne rien leur raconter au sujet de notre petite mésaventure avec Cynthia à Mexico. Ç'aurait été infernal. Puis c'est au tour de Paul de poursuivre l'interrogatoire:

— C'était comment, les photos?

Je me demande bien de quoi il veut parler celui-là.

— Les photos? Quelles photos?

— Les photos de lever du soleil que tu es allé prendre ce matin!

C'est vrai! J'avais écrit cela sur un bout de papier! Ça m'est complètement sorti de la tête. Le problème avec les mensonges, c'est qu'on doit les retenir, parallèlement à la vérité. Ça fait beaucoup de choses à garder en tête, surtout quand on a encore le goût des lèvres de la plus belle fille du monde sur la bouche… Alors, il y a de quoi être mêlé dans ses menteries. Et puis, de quoi se mêle-t-il, celui-là? Il se prend pour mon paternel ou quoi? Je réponds néanmoins, afin de mettre un terme à cet assommant questionnaire:

— Ah oui! Les photos! J'oubliais… Super, elles vont être magnifiques, j'en suis sûr!

Tandis que j'entreprends de monter l'escalier qui mène à la chambre, j'entends grand-maman marmonner:

— Laissez-le donc tranquille, ce petit… Il est assez grand pour se promener tout seul. Moi, à son âge, j'étais déjà mariée.

Qu'est-ce qu'on ferait sans grand-mère? C'est ce que j'étais en train de me dire lorsque j'aperçois Enrique qui m'attend en haut de l'escalier, mon appareil photo dans les mains.

— Tiens, tu avais oublié de le prendre! Elles vont vraiment être super, tes photos… n'est-ce pas?

Un peu plus et on se penserait dans les bureaux de la Gestapo! Enrique qui vient mettre son grain de sel, il ne manquait plus que ça! Je prends une grande respiration avant de répondre, tout en essayant de garder mon calme:

— Écoute, Enrique, j'ai mal dormi, je me suis levé très tôt et je voudrais bien me reposer un peu. Alors, si tu voulais bien me foutre la paix avec mes photos, j'en serais très content. D'accord ?

— Mais avoue que c'est bizarre d'aller faire des photos sans appareil… c'est tout !

— Ce qui est bizarre, surtout, c'est de se mêler des affaires des autres. C'est pas difficile à comprendre, ça, non ?

— O.K., O.K. T'aurais pas rencontré quelqu'un ou même une belle fille par hasard ? ajoute-t-il d'un ton mielleux.

Je pousse un long soupir d'exaspération. Décidément, je n'aurai jamais la paix ! Je décide de lui raconter mon escapade, puisque, de toute façon, il va finir par l'apprendre tôt ou tard, avec sa manie de fourrer son nez partout.

— Bon, d'accord, je vais te le dire. Mais tu n'en parles à personne, c'est compris ? Je n'ai pas le goût que tout le monde connaisse ma vie privée. C'est Rosa.

— Rosa ? Qui ça, Rosa ?

— Comment, qui ça ? La fille qui était au dispensaire, hier !

— Comment veux-tu que je m'en rappelle, moi ? Il y a des dizaines de filles qui viennent chaque jour !

— Oui, mais celle-là, c'est la plus belle! Tu sais, elle était blessée au pied. C'est toi-même qui m'as parlé de ce qu'elle fait au dépotoir. T'as pas déjà oublié, tout de même?

— Ah oui! Rosa! Je me souviens! C'est vrai qu'elle est pas mal... Mais elle a un sacré caractère... quand quelque chose ne fait pas son affaire...

— Eh bien, elle a été très gentille avec moi et je la revois dès demain. Maintenant, est-ce que tu me laisses tranquille? Je voudrais dormir un peu.

— Bon, bon, ne t'impatiente pas... Et Marie-Ève dans tout cela?

Non, mais, c'est pas vrai! Il veut que j'aie des remords de conscience, maintenant! Pourquoi tout le monde s'acharne-t-il ainsi à vouloir me gâcher ma plus belle journée depuis des siècles? Là, c'est trop, j'explose:

— Toi, retourne étudier tes microbes et tes formules chimiques et ne viens plus mettre ton nez dans mes affaires! C'est clair, ça?

Et je lui claque sa propre porte au nez.

Je me réveille après ma sieste, espérant qu'Enrique ne sera pas trop rancunier. Dans le fond, je n'ai pas intérêt à me brouiller avec lui! D'abord, il peut me conduire en voiture au dispensaire chaque matin, ce qui va me sim-plifier la vie. Ensuite, il pourra me servir d'alibi pour que je n'aie pas d'explications à donner à tout le monde quant à mon emploi du temps dans les prochains jours… Heureusement, il ne semble pas trop m'en vouloir et m'offre spontanément de m'accompagner le lendemain matin. Un peu trop curieux, le cousin, mais j'avoue qu'il est quand même gentil avec moi.

Le matin arrive enfin, après une nuit chaude, sans étoiles. Comme prévu, je profite de la voiture d'Enrique, mais je lui demande de me déposer au centre de la ville, devant l'église. Il ne me questionne pas, me dépose près du marché et redémarre en trombe, me laissant seul sur le trottoir.

Sur la place, il y a des kiosques où l'on vend toutes sortes de choses. Je m'approche d'un de ceux qui offre aux passants une kyrielle d'objets électroniques. L'étalage devant le commerçant est jonché de radiocassettes, de montres, de réveille-matin et de téléphones cellulaires. Au-dessus de sa tête pendent des sacs à main en cuir. J'hésite quelques secondes. Il m'interpelle, voyant que je suis intéressé par sa marchandise :

— Bonjour, tu veux une radio ?

— Non, pas vraiment. À vrai dire, je ne veux rien acheter. Je veux vendre ce baladeur… et cette montre.

— Moi, je ne vends que des articles neufs. Mais si tu es mal pris, tu peux toujours demander à Sanchez.

— Et c'est qui, Sanchez?

— C'est lui, là-bas.

Je me dirige vers un homme, assis sur le sol, le dos appuyé contre un mur. Devant lui, sur une couverture, plusieurs objets hétéroclites sont étalés. Je lui tends mes affaires. Il se contente d'y jeter un coup d'œil distrait, puis m'offre un prix dérisoire:

— Cent cinquante pesos, me jette-t-il.

— Cent cinquante pesos... pour les deux? Mais c'est ridicule! Ça vaut au moins cent dollars chacun!

— Si tu veux des dollars, va les vendre aux États-Unis! me répond-il en haussant les épaules.

J'espérais tirer davantage de mes possessions. Déjà que j'étais tristounet à l'idée de me départir de ces objets qui me semblaient si indispensables jusqu'à tout récemment... J'essaie quand même de négocier avec lui. Je n'ai rien à perdre, après tout.

— Je vous les laisse pour cent pesos chacun. Ils sont presque neufs et en bon état.

Il se met à manipuler la montre, à vérifier la minuterie et les autres fonctions. Puis il essaie le baladeur. J'attends, impatient.

— D'accord, dit-il finalement en fouillant dans sa poche. Voilà deux cents pesos. Mais c'est le mieux que je puisse faire!

Finalement, c'est pas si mal. Il ne me reste qu'à aller chercher Rosa et à décider avec elle ce qu'on va faire de cette journée qui s'offre à nous. Maintenant que j'ai de l'argent, je vais pouvoir la gâter un peu.

Elle est assise dans l'embrasure de sa porte, en train de tresser ses cheveux. J'aime croire qu'elle m'attendait. On dirait que je suis déjà habitué à son quartier. Je me sens plus à l'aise que la veille, parmi tous ces gens. Comme si je faisais un peu partie de son monde maintenant. Étrange comme sensation.

Elle se lève en me voyant arriver et me prend par le cou. On s'embrasse longuement cette fois-ci et fébrilement. Je l'aime tellement. Après de longues minutes enivrantes, je finis par interrompre notre étreinte.

— Qu'est-ce qu'on fait aujourd'hui?

— Rien. Être avec toi me suffit, me répond-elle, tout sourire.

— Oui, mais on peut être ensemble ailleurs, non? Tu ne veux pas qu'on aille au cinéma, par exemple, ou au parc d'attractions?

— Au cinéma? Voir un film? C'est vrai?

Ses cils battent l'air, comme les ailes d'un papillon.

— Oui, si tu veux. Auparavant, on pourrait aller manger quelque chose, dans un restaurant. Après, on choisira un film.

— Au restaurant ? Mais je ne peux pas y aller habillée comme ça. Je vais te faire honte...

— Écoute-moi bien, Rosa. Je ne veux plus jamais t'entendre dire ça. D'accord ? Bien au contraire, je suis fier d'être avec toi.

— Excuse-moi, Francis. Je ne voulais pas te fâcher. C'est à cause de mes vêtements et de mes sandales.

— Si c'est ça, ton problème, on va le régler tout de suite.

Ainsi nous retrouvons-nous, main dans la main, à parcourir les artères commerciales de la ville à la recherche de ce qui pourrait lui faire plaisir. Ce n'est vraiment pas compliqué : elle s'extasie devant à peu près tout. D'abord, elle choisit une robe à fleurs qui lui va trèèès bien ! Puis elle achète des jeans et des espadrilles.

Heureusement que tout est bon marché ici, car mes sources de revenu sont plutôt épuisables... et limitées. Néanmoins, il me reste suffisamment d'argent pour aller manger des *fajitas* dans un petit restaurant sympathique, à ciel ouvert, qui donne sur la place centrale.

— Arrête de dépenser, Francis, ça n'a pas de sens ! me dit-elle quand je lui propose le cinéma pendant que je règle l'addition.

— Ça va, je te dis. Ne t'inquiète pas, ce n'est pas si cher que ça. Alors, quel film veux-tu voir ?

— Mais où as-tu pris tout cet argent ? me demande-t-elle sans écouter ma question.

Je ne veux pas lui dire que j'ai vendu mes effets personnels. Elle se sentirait mal à l'aise. Je commence à la connaître. Je préfère inventer une histoire plausible.

— C'est mon argent. J'ai travaillé un peu, cet hiver, en prévision de mon voyage. En plus, quand on change nos dollars pour des pesos, c'est avantageux. Les choses coûtent moins cher ici.

— Ah bon ! Mais il ne faut tout de même pas tout dépenser aujourd'hui, rajoute-t-elle en aspirant une dernière gorgée de limonade.

J'en profite pour lui expliquer que je dois partir la semaine prochaine, pour la plage. Alors, il faut profiter au maximum des journées qui nous restent. Heureusement, elle comprend que je n'ai pas vraiment le choix. Elle me fait promettre de revenir.

— Bien sûr, Rosa, je vais compter les jours et penser à toi tout le temps, c'est promis.

Puis nous nous dirigeons tranquillement vers le cinéma qui est situé sur la rue principale, non loin d'une école primaire, dont la cour, inutilisée en cette saison, sert de lieu de rassemblement aux jeunes du quartier.

Mais Rosa et moi sommes bien loin de tout cela. À chaque intersection, on s'arrête pour s'embrasser encore et encore, se découvrir davantage au fil des rues, se donner l'un à l'autre tout cet amour qu'on avait soigneusement gardé intact, au fond de soi, en prévision de ces journées paradisiaques que les hasards de la vie nous procurent.

Je ne me rappelle plus vraiment du film, seulement de sa petite main dans la mienne. Et de son profil, aux lignes si pures qu'il me rappelle une sculpture de Michel-Ange, l'artiste préféré de maman. Elle me fascine, Rosa. Comment se fait-il que personne d'autre n'ait découvert cette beauté avant? Je n'en reviens pas de la chance que j'ai. Quand je pense que je ne voulais pas venir au Mexique!

J'ai nagé ainsi en plein bonheur toute la semaine. À chaque rencontre, je découvrais davantage une fille extraordinaire, pleine de joie et de curiosité. Nous passions de longues journées à déambuler dans les rues de la ville, sans autre but que d'étirer le temps et d'éviter de le perdre. C'était toujours avec regret que je la quittais à la tombée du jour pour revenir avec Enrique. Et dire que pendant ce temps, tout le monde s'imaginait que je travaillais au dispensaire ! Génial, le métier d'infirmier !

Malgré tout, la semaine passe trop vite et il ne reste plus que deux jours avant notre départ pour la plage. Aujourd'hui, Rosa et moi avons passé l'après-midi à jouer à des jeux vidéo dans une espèce de restaurant où l'on sert des frites et de la pizza. Puis nous avons fait quelques achats avant de rentrer, à la toute fin de l'après-midi.

Lentement, nous retournons chez elle, malgré une pluie fine et tiède qui donne à l'air ambiant une odeur d'herbe coupée. Je me suis habitué à ces ondées quotidiennes, caractéristiques de la saison estivale. Elles rafraîchissent l'atmosphère.

Nous passons devant la clinique ; Enrique y est encore. Il me fait signe qu'il en a encore pour une demi-heure environ. Parfait ! J'ai le temps de raccompagner Rosa chez elle.

En empruntant le chemin boueux habituel, nous croisons un enfant qui porte un énorme seau d'eau. La charge est manifestement trop lourde pour le petit qui doit avoir huit ans, tout au plus. Il s'arrête tous les cinq ou six pas pour déposer son fardeau qui a déjà perdu une partie de son contenu à force d'être ballotté de gauche à droite. Rosa le connaît, ce petit, car elle lui enlève le seau des mains et lui parle gentiment :

— Qu'est-ce que tu fais, Pablo ? Ton papa n'est pas là ?

— Si, mais il ne peut pas apporter l'eau, car il est malade. Il a été opéré, il n'y a pas très longtemps et il faut qu'il se repose.

— Ah oui ? Déjà ? Viens, on va t'aider à rapporter ce seau, c'est beaucoup trop lourd pour toi.

Je me charge de l'eau pendant que Rosa prend le garçonnet par la main et traîne ses paquets de l'autre. À mi-voix, elle m'explique que le père de cet enfant a souvent aidé sa mère, surtout au début, lors de leur arrivée dans le quartier.

— C'est mon voisin d'en arrière. On partage la même cour ou plutôt l'espace entre les baraques. Son histoire est triste. Avant, il travaillait sur des fermes, comme ouvrier agricole. Mais un jour, il a subi une grave blessure au bras. En réparant une machine, sa manche est restée coincée dans un engrenage. Depuis, il ne peut plus travailler.

— Il a une grosse famille ?

— Trois enfants. Pablo est l'aîné.

— Et sa femme ?

— Elle est partie, il y a six mois, aux États-Unis. Quelqu'un l'a engagée comme domestique, je crois. Mais ils se sont perdus de vue, on dirait.

— Et en plus, il est malade?

— Non, pas vraiment. Mais il veut passer la frontière, lui aussi, et il n'a pas d'argent.

— Ça prend de l'argent?

— Oui. Il faut payer un passeur… C'est cher et il y a aussi les enfants.

— Alors?

Son histoire m'intéresse. Il y a des gens qui vivent des choses tellement compliquées. On dirait que ça rend ma vie plus simple quand j'entends des récits comme ceux-là.

— Alors, il a vendu un rein.

— Quoi???

J'espère avoir mal compris. Elle me dit ça d'un ton si détaché, comme si elle m'annonçait qu'il avait vendu son automobile! Pour toute réponse, elle me chuchote:

— Je t'expliquerai, on arrive!

Rosa entre dans la pièce et dépose le seau dans un coin. Je préfère rester sur le seuil. Je n'ai pas eu le temps de digérer l'histoire sordide que je viens d'entendre: ici, on vend et on achète des organes humains! Cet homme a tellement besoin d'argent qu'il s'est fait volontairement mutiler. Et Rosa a l'air de trouver cela normal.

Malgré mon malaise, je ne peux m'empêcher d'observer cet homme, ne sachant trop quoi penser de tout cela ou surtout quoi lui dire. Il est assis sur son lit, le ventre entouré de gaze blanche. Deux petits s'amusent à ses pieds, avec une auto miniature.

Il remercie Rosa chaleureusement et, de son bras infirme, me fait signe d'entrer. Avec un frisson d'horreur, je reconnais ce geste, ce visage. Cet homme est un patient de Carlos, celui-là même qui m'a questionné la semaine dernière devant la maison !

En une fraction de seconde, tout devient clair dans mon esprit : Carlos est néphrologue, fait des chirurgies et gagne beaucoup d'argent. Par contre, ses patients sont plutôt jeunes et pauvres. Et Enrique qui semble ne se douter de rien !

Tout se bouscule dans ma tête. Opère-t-il ces pauvres gens dans le sous-sol de la maison ? Est-ce que tante Maria et grand-maman sont au courant ? Ce genre de commerce est-il habituel par ici ? Combien d'argent reçoit-il pour une transplantation ? Pendant que toutes ces questions me passent par l'esprit, le manchot continue de me faire signe d'approcher, arborant un grand sourire amical.

Quant à moi, je sens ma bouche devenir sèche et mon ventre se nouer devant l'effrayante découverte que je viens de faire.

12

DOCTEUR
GOMEZ

Je ne trouve rien de plus brillant à dire à Rosa que je suis pressé de retourner au dispensaire afin de ne pas rater mon «lift». Je bredouille des excuses au convalescent et je sors précipitamment dans la rue. Rosa ne tarde pas à me rejoindre, ne comprenant pas ma réaction.

— Qu'est-ce qu'il y a? T'es fâché ou quoi?

Je n'ai pas envie de discuter de cela avec elle. Je préfère être seul pour réfléchir à ce que je dois faire. Je lui réponds n'importe quoi, afin de ne pas l'inquiéter:

— Non, non, c'est pas ça…. Excuse-moi, je ne voulais pas te brusquer. On se revoit demain, d'accord ? En attendant, pense à ce que tu aimerais faire.

— D'accord, à demain alors, répond-elle, résignée. Merci pour la belle journée !

Le trajet avec Enrique me semble interminable. Il ne fait que me raconter les cas qu'il a traités pendant la journée. Il me parle de blessures infectées et de maladies de toutes sortes, avec le même enthousiasme qu'un enfant raconterait sa première victoire au hockey. Sauf que moi, je n'écoute pas. Je me demande quoi faire. Dois-je lui parler de ce que j'ai découvert, par hasard, cet après-midi ? Lui qui admire tant son père... J'ai peur de sa réaction... Et peut-être qu'il ne me croira pas ; mon cousin est tellement convaincu que son père aide ses patients, qu'il n'admettra jamais que le célèbre Dr Gomez pratique des chirurgies dans l'unique but de s'enrichir.

À moins qu'Enrique ne soit déjà au courant ou même qu'il soit complice ? C'est possible puisqu'il fréquente les quartiers pauvres. Il a bien dû reconnaître des patients de son père lorsqu'ils se présentent à la clinique, dans sa propre maison. Mais c'est vrai que mon cousin passe beaucoup de temps à étudier dans sa chambre pendant l'été. Et le reste de l'année, il est au collège. Il n'a pas tant d'occasions que ça d'observer le va-et-vient des malades. Et

146

il est tellement altruiste, Enrique, qu'il ne supporterait pas d'être associé de près ou de loin à un trafic d'organes.

On approche de la maison ; il faut que je me décide. Finalement, j'interromps mon cousin alors qu'il est en train de me raconter un accouchement.

— Écoute, Enrique, il faudrait que je te parle. Peux-tu arrêter l'auto quelque part ?

Sans hésiter, il se range sous un énorme platane qui projette son ombre bienfaisante sur la rue.

— Qu'est-ce qu'il y a ? T'as des problèmes avec Rosa ?

— Non, c'est pas ça. C'est au sujet de ton père... ou plutôt de ses activités.

— Quelles activités ?

— Je ne sais pas trop comment te le dire.

— Dis-le simplement. Ça ne peut pas être si épouvantable que ça, tout de même ?

Je soupire. Je suis sûr qu'il n'est au courant de rien. Je jette un regard par la fenêtre ouverte, essayant de rassembler mon courage. Je n'ai jamais eu de talent pour les mises au point de cette sorte. Je trouve cela pénible, mais je pense qu'il est de mon devoir de lui en parler.

— Enrique, je soupçonne fortement ton père de se livrer à un trafic d'organes, de reins pour être plus précis.

Heureusement qu'il est plus calme que moi. Il se contente d'arrêter le moteur, de fermer la radio et de me demander :

— Que veux-tu dire, exactement ?

Je fais une pause avant de continuer :

— J'ai rencontré un homme, tout à l'heure. Le voisin de Rosa.

— Et...

— Et il vient de se faire enlever un rein... qu'il a vendu pour avoir assez d'argent pour quitter le pays avec ses enfants.

— Oui, je sais, c'est épouvantable. Malheureusement, ce sont des choses qui existent. On n'y peut rien, c'est comme ça. Et puis, c'est un adulte, il peut faire ce qu'il veut de son corps. En quoi cela concerne papa, de toute façon ?

— Eh bien... Cet homme, je l'ai vu la semaine dernière, alors que je promenais Pacha devant chez toi. Il m'a questionné, il cherchait la clinique du Dr Gomez.

— Ça ne prouve rien. Tu peux le confondre avec n'importe qui !

Il commence à s'énerver un peu. J'attends quelques secondes avant de lui dire :

— Il en a beaucoup, ton père, des patients amputés de la main droite ?

Ma question reste sans réponse. Son écho demeure là, dans l'air, se matérialisant presque. Enrique reste bouche bée et me regarde dans les yeux. Il demeure impassible quelques instants, puis détourne le regard et, tout doucement, remet le moteur en marche. Cependant, il ne démarre pas. Il se contente de regarder droit devant lui, sans même s'apercevoir qu'un mendiant s'approche de sa portière. Il demeure silencieux, les mains crispées sur le volant pendant de longues secondes. Puis il finit par murmurer :

— Allons, partons d'ici.

Ce sont ses dernières paroles de la journée. Dès notre arrivée, il s'enferme dans sa chambre. Moi, je passe la soirée à faire semblant de rien, avec les autres, à regarder la télévision. Heureusement, le célèbre Dr Gomez brille par son absence... comme d'habitude, quoi !

Finalement, ça tombe bien qu'on parte pour la plage bientôt. Je me sens mal à l'aise ici, depuis que je sais ce qui s'y passe. Bien sûr, ça m'attriste de devoir laisser Rosa, mais je ne peux plus reculer et ne pas accompagner maman. Et puis, il est devenu clair pour moi que Rosa fera partie de ma vie à l'avenir. Je ne sais ni comment ni où, mais ce n'est qu'une question de temps pour que je trouve une solution. Peut-être que mon séjour à Barra San Antonio me permettra de prendre un peu de recul face à tout ce qui m'arrive et d'y voir plus clair.

Enrique me ramène en ville. C'est ma dernière journée complète avec Rosa. Il a plutôt l'air déprimé. Je pense qu'il est tombé de haut.

— J'ai bien peur que tu aies raison, Francis, marmonne-t-il après le premier coin de rue. J'ai compris pourquoi il a tant de contacts avec des médecins américains. Ce n'est pas parce qu'il est si savant, c'est parce que les acheteurs potentiels se trouvent là, pas très loin, au nord du Rio Grande. Et les donneurs, eux, viennent du sud.

Je ne dis rien, je me contente d'écouter. Il continue :

— C'est sûrement pour cette raison qu'il fait tous ces voyages au Texas et en Californie et qu'il gagne tant d'argent depuis quelques années. J'ai trouvé des renseignements sur Internet. Un rein peut se vendre entre dix et vingt mille dollars aux États-Unis. Dans le fond, ce n'est pas si cher pour ne plus être dépendant de la dialyse et vivre une vie normale grâce à une greffe.

— Et pour le donneur?

— On lui donne environ dix pour cent de la transaction. Ce qui représente une somme énorme pour beaucoup de gens aux prises avec la pauvreté.

— Et les chirurgiens des deux côtés de la frontière se partagent les profits… c'est ça?

— Oui. Et moi, je bénéficie de cet argent sale. Mon père va me payer toutes mes études et une auto neuve et un appartement à Mexico. Je déménage à la fin de l'été pour faire une année en biologie… J'ai honte quand je pense à la provenance de cet argent. J'ai honte de mon père, j'ai honte de mon nom.

On arrive à la place centrale. Je dois m'y arrêter encore ce matin. Enrique immobilise l'auto pour que je descende.

— T'en fais pas trop, Enrique, dis-je pour l'encourager. Tu n'es pas responsable des agissements de Carlos. Tu ne peux pas prendre les responsabilités de tout le monde sur tes épaules.

— Ce n'est pas tout le monde, c'est mon père, me répond-il en redémarrant.

Je regrette presque de le lui avoir dit. Mais il l'aurait appris tôt ou tard, assurément. Et puis, il fallait bien qu'il s'ouvre les yeux, à un moment donné.

La place du marché se trouve de l'autre côté de la rue. Je cherche le vieux Sanchez des yeux. Je le trouve, toujours accroupi au même endroit. Il a l'air du Mexicain type, comme on en voit dans les films, avec son sombrero enfoncé sur les yeux et son poncho rayé.

Je m'approche de lui. Je reconnais mon baladeur sur sa couverture. La montre a disparu. Il lève les yeux sur moi.

— Qu'est-ce que tu m'apportes ce matin?

— Mon appareil photo.

— Montre un peu… Hum, il a un zoom?

— Oui, 105 mm et mise au point automatique, la date et plein d'autres fonctions.

On finit par s'entendre pour quatre cents pesos. Je suis content. À la fin de la journée, il va me rester assez d'argent pour en laisser à Rosa. Je veux qu'elle ne manque de rien pendant mon absence.

Ce matin, elle m'attend en haut de la ruelle. Elle descend en courant et se jette dans mes bras. Je pense qu'elle commence à m'aimer; je suis tellement heureux.

Comme hier, on est allés en ville pour manger et faire quelques achats. Puis on prend l'autobus en direction du parc d'attractions. Elle veut tout essayer! Moi qui déteste les hauteurs! Je dois vraiment déployer des efforts surhumains pour l'accompagner dans tous ces manèges. De plus, tout ce qui tourne me donne mal au cœur... Tant pis ! L'important, c'est qu'elle s'amuse, qu'elle oublie ses soucis et qu'elle profite de la vie.

Toute bonne chose ayant une fin, nous devons rentrer, en fin de journée. En arrivant chez elle, je la questionne au sujet de son voisin :

— Au fait, comment va le père de Pablo ?

— Bien, je crois. Il se remet vite. Avec un peu de chance, il partira dans un mois !

— Tu ne trouves pas que c'est triste, tout de même, d'être obligé de vendre un rein pour avoir de l'argent ?

— Triste ? me répond-elle, insultée. Tu trouves ça, triste ? Mais qu'est-ce que tu voudrais qu'il fasse ? Aller à la banque demander un prêt ? Ou payer le passeur avec sa carte de crédit ?

— Non, mais il aurait peut-être pu envisager une autre solution, moins radicale, plus humaine.

Sans le vouloir, je l'ai vexée. Si douce d'habitude, elle se transforme sous mes yeux en furie et se met à hurler :

— Plus humaine ? Ah ! parce que tu crois que c'est humain de vivre avec trois enfants dans une seule pièce qui n'a ni eau ni électricité ? Tu penses peut-être que c'est humain de devoir fouiller dans des déchets pour nourrir sa famille ? Ce que tu peux être con parfois ! Il a eu du courage, cet homme. Il mérite des félicitations ! Il a fait ça par amour pour ses enfants, pour leur donner une chance de vivre autrement que lui, que moi...

Sa voix se brise... Elle s'affaise à genoux sur le sol de sa chambre, en pleurs, se tenant le ventre de ses bras comme pour se protéger. Elle pleure toutes les larmes de son corps et articule, entre deux sanglots :

— Tu ne peux pas comprendre, Francis, ce que c'est de ne pas savoir si on va être encore en vie l'année prochaine, de voir des enfants mourir bêtement d'une infection ou d'avoir bu de l'eau contaminée. D'être considérée comme une moins que rien, continuet-elle, de ne pouvoir gagner sa vie normalement...

Elle se recroqueville sur le sol, la tête appuyée sur le matelas, un poing fermé devant sa bouche. Elle a l'air d'un bébé qui suce son pouce. Un bébé qui pleure... Un bébé qui souffre...

Je m'assois près d'elle sur le lit. Il fait sombre, maintenant, dans la pièce. Je soulève sa tête et la dépose doucement sur ma cuisse. J'essaie de la consoler en lui parlant très doucement et en caressant ses cheveux soyeux :

— Allons, Rosa... je m'excuse. Je ne pensais pas te faire tant de peine. Il est vrai que, pour moi, tout cela est difficile à comprendre. Peut-être que j'aurais fait la même chose à la place de ton voisin. Après tout, grâce à ce geste, il va pouvoir mieux vivre avec sa famille et même retrouver sa femme.

Elle renifle, sa poitrine sursaute à intervalles réguliers. Je soupire de la voir si triste. Je continue à jouer dans ses cheveux. Les mèches qui bordent son visage sont mouillées et lui collent aux joues.

Pour mettre fin à ses larmes et à mon inquiétude, je lui chuchote à l'oreille :

— Rosa... compte sur moi, je vais trouver une solution. Tu n'auras plus à vivre ici. Je te le promets.

Sur ces paroles, elle se redresse doucement. Ses yeux mouillés me toisent avec une infinie tendresse et une vive lueur d'espoir.

— Promis, Francis ?

— Promis, Rosa.

Puis nous basculons tous les deux dans un enivrant amalgame de baisers, de larmes et de caresses. Et nous faisons l'amour jusque tard dans la nuit.

Il doit être environ deux heures du matin. Je n'en suis pas sûr. Rosa a la tête appuyée sur mon épaule et sa respiration régulière me fait croire qu'elle dort.

C'est incroyable comme l'amour a le pouvoir de déformer la réalité. Je regarde l'intérieur de ce taudis et j'y vois un château. Par un espace entre le mur et le toit, une étoile nous regarde, seul témoin de notre intimité.

Rosa choisit ce moment pour ouvrir les yeux et m'embrasser délicatement sur la joue.

— Regarde, lui dis-je. Tu vois cette étoile ? Eh bien, le soir, quand tu te coucheras, fixe-la. Moi, je ferai la même chose à Barra San Antonio…et je penserai à toi.

Elle me sourit. Je vois ses dents qui luisent dans la pénombre.

— C'est peut-être l'étoile du Petit Prince ? me dit-elle candidement.

J'embrasse le dessus de sa tête. Des fois, je me demande si elle ne parle pas sérieusement.

— Peut-être. Dans ce cas, il en a vu des belles, cette nuit, le petit curieux !

Elle rit. Elle est heureuse et moi aussi.

La pluie qui tambourine sur le toit me réveille de sa jolie musique. Tout doucement, je sors de ma torpeur et je réalise que j'ai passé toute la nuit ici, avec elle. Impossible de savoir l'heure qu'il est… faute de montre. Chose certaine, on va m'en faire voir de toutes les couleurs, à la maison. Ils ont dû passer la nuit à m'attendre. Maman doit être morte d'inquiétude. Elle a peut-être même prévenu la police… quoique… pour ce que ça change.

Rosa dort toujours. Je lui laisse un mot pour lui expliquer que je dois retourner préparer mes bagages, mais que je reviendrai un peu plus tard pour lui dire au revoir.

Je cours dans les rues pour sauter le plus vite possible dans un autobus. Je suis pressé d'arriver, car je veux rapidement mettre fin au calvaire de maman. Je me rappelle ce que je ressentais tout récemment à Mexico quand on avait perdu Cynthia.

D'un autre côté, je n'ai pas particulièrement hâte d'arriver. Qu'est-ce que je vais me faire engueuler ! Et que vais-je bien pouvoir inventer comme excuse ? Et Enrique qui a dû attendre en vain mon retour ! Malgré tout, je n'ai jamais été aussi heureux de toute ma vie. Tant pis pour les autres s'ils ne sont pas contents.

J'arrive à l'heure du petit déjeuner. Tout le monde est assis à table en train de manger calmement. Je suis ébahi. Pas un reproche, personne d'énervé. Et maman qui me dit, devant tout le monde :

— Bravo, mon garçon, je suis fière de toi !

Mais de quoi veut-elle bien parler ? Tous me regardent en souriant bêtement.

Comment peut-elle savoir ? Je veux bien croire que les mères ont un sixième sens, mais j'espère que son intuition ne va pas jusqu'à s'immiscer sous mes draps ! Enrique choisit ce moment pour dévaler l'escalier et me demander avant que j'aie eu le temps d'articuler quoi que ce soit :

— Et comment il va, le vieux Lopez ? A-t-il passé la nuit ?

À voir son drôle d'air, je comprends qu'il a inventé toute une histoire pour expliquer mon absence.

— Heu, oui... mais il a mal dormi. J'ai dû m'en occuper toute la nuit. C'était plutôt pénible, crois-moi. Il n'arrêtait pas de vomir, le pauvre. Je suis parti quand Eduardo est arrivé.

Enrique continue d'apporter des précisions :

— C'est normal, ça arrive parfois aux cancéreux en phase terminale. En tout cas, je te remercie de m'avoir relayé cette nuit. J'avais vraiment besoin de me reposer !

— Et dire qu'il y a peu de temps, renchérit maman, tu avais de la misère à m'apporter de l'aspirine quand j'avais mal à la tête! Tu as vraiment pris beaucoup d'expérience en allant comme ça, tous les jours, à la clinique.

— Heu, oui.

Je ne sais plus trop quoi dire, mais au moins, je recommence à respirer!

— Allons, ajoute maman, va dormir un peu. Je suis sûre que tu dois être très fatigué après une nuit si mouvementée.

Là, j'ai vraiment envie de rire! Une vraie farce!

— Je vais bien, maman! Il faut que je prépare mon sac pour la mer. Ensuite, je repars avec Enrique. Il y a tellement de malades à la clinique! De toute façon, j'aurai deux semaines pour me reposer.

Dans l'escalier, je croise mon cousin et je lui murmure:

— Merci, Enrique! Je te revaudrai cela!

13

EURÊKA !

Toutes mes affaires sont prêtes. On part après le dîner pour Barra San Antonio. Je saute dans l'auto d'Enrique qui me regarde, avide de détails. Il a l'air de meilleure humeur que la veille.

— Toi, ne me pose pas de questions ! C'était super, si tu veux savoir, mais je ne te dirai rien de plus.

Peu après, il me dépose devant le dispensaire. De là, il ne me reste que quelques centaines de mètres à franchir pour arriver chez elle.

J'aperçois déjà le rideau rayé qui pend dans l'embrasure de sa porte. Je frappe discrètement sur le cadre et entre. Elle est penchée au-dessus d'une cuve et lave ses vêtements en les frottant ensemble à l'aide des morceaux de savon agglutinés qui forment une masse mousseuse et colorée. Elle porte la petite robe à fleurs que je lui ai achetée cette semaine. Qu'elle est belle !

— Bonjour, jolie demoiselle ! Vous me semblez bien occupée ce matin.

— En effet, me dit-elle en croisant ses longs bras humides autour de mon cou. Ma mère me disait toujours : « Rosa, même si tu n'as que des guenilles à porter, arrange-toi pour qu'elles soient propres. »

C'est vrai qu'elle est toujours impeccable, Rosa. Je peux me promener partout avec elle, jamais personne ne pourrait deviner ce qu'elle fait de ses journées, tellement elle a l'air fière et soignée. Même dans les tâches domestiques les plus banales, elle ressemble à une princesse. Ses gestes sont précis, gracieux, légers, et je ne me lasse pas de l'observer dans la simplicité de son quotidien. Je lui tends une rose rouge que j'ai « empruntée » dans le jardin avant de partir.

— Tiens, c'est pour toi. Et regarde, dis-je en vidant mon sac. Je t'ai apporté tout ce que j'ai pu trouver qui se conserve.

— Arrête, Francis, de me faire tous ces cadeaux, c'est vraiment trop !

Visiblement émue, elle hume la fleur en reniflant. Je la prends dans mes bras et lui explique pour la millième fois :

— Ce n'est rien, Rosa. Je me fais plaisir à moi, parce que je t'aime. C'est pas difficile à comprendre, non ?

— Je sais, mais …

— Je pars pour deux longues semaines et je veux que tu ne manques de rien, lui dis-je en lui glissant plusieurs billets de banque dans la main.

— Non, je t'assure, ce n'est pas nécessaire, Francis…

— Promets-moi de ne pas retourner au dépotoir. Avec cet argent, va au marché et achète ce dont tu as besoin, jusqu'à ce que je revienne. Ensuite, on va trouver une solution, car je ne veux plus jamais te quitter. D'accord ?

— D'accord. En attendant, je vais regarder les étoiles…. notre étoile, plutôt.

Debout, au milieu de la pièce minuscule, je la serre si fort que j'ai peur de la briser. Sa taille est fine, ses cheveux sentent bon et je ne veux pas interrompre ce moment où j'oublie tout pour ne penser qu'à elle. Je m'aperçois qu'elle pleure. Nous nous embrassons de longues minutes, mêlant nos larmes et nos lèvres, confondant notre peine et notre bonheur. Puis je plonge mon regard dans le sien.. C'est fou ce que deux personnes qui s'aiment peuvent se dire en silence, rien qu'en se regardant.

— Viens, j'ai quelque chose d'important à te montrer, murmure-t-elle.

Ses yeux sont déjà secs. Elle ne pleure plus, habituée à réagir aux multiples frustrations que la vie lui procure. Elle soulève son matelas. Au fond, près du mur, une planche est déclouée. Elle la déplace, puis extrait de l'orifice un paquet emmailloté dans un chiffon. Elle le dépose sur le lit et commence à le déballer précautionneusement. Je vois apparaître une magnifique statuette d'environ vingt centimètres de haut qui ressemble étrangement à celles que j'ai vues au Musée national d'anthropologie de Mexico. Je suis estomaqué.

— Wow! Qu'est-ce que c'est?

— Une petite statue. Je l'ai trouvée au printemps dernier. Je suis tombée dessus en essayant de déterrer le cadre d'une bicyclette.

— C'est vraiment beau!

Je soupèse l'objet. Bien que je ne sois pas un expert en antiquités, celui-ci me semble très ancien et authentique. C'est sûrement précolombien, peut-être aztèque ou maya.

— Il paraît que ça peut valoir jusqu'à cinquante dollars américains.

— Même si je ne connais pas grand-chose au marché des œuvres d'art, je suis convaincu que cet objet peut même aller chercher dans les mille ou deux mille dollars, Rosa.

— Tu en es sûr?

— Non... mais je le pense. Écoute, lui dis-je. Garde cette figurine précieusement, elle pourra certainement t'être utile. En attendant, dissimule-la bien et ne la montre à personne, compris?

— Figure-toi que j'y avais déjà pensé. Voilà pourquoi je la cache là, sous mon lit. C'est mon trésor. La semaine dernière, je pensais que cette statuette était ce que j'avais de plus précieux. Aujourd'hui, ça ne l'est plus vraiment. C'est toi, mon trésor.

Et sur ces paroles, on s'embrasse encore, jusqu'à ce que je doive la quitter pour aller jouer mon rôle de fils à la plage, avec ma petite maman dont il faut bien que je m'occupe enfin.

— Fais bien attention à toi, Rosa. Et n'oublie pas que je t'aime!

De retour à la maison, je suis surpris de voir l'auto d'Enrique stationnée devant la porte alors qu'il devrait se trouver au dispensaire. En traversant le jardin, j'entends par la fenêtre, la voix forte de Carlos:

— Et qu'est-ce que ça prouve?

— Que toi aussi, tu fais du trafic d'organes et que c'est épouvantable d'exploiter les pauvres d'une manière si éhontée. C'est dégueulasse même !

— Ce n'est pas parce que ton morveux de cousin pense avoir reconnu un de mes patients que tu dois le croire ! Il est jaloux, c'est tout ! Et puis, il n'a pas à mettre son nez dans mes affaires !

— Laisse Francis en dehors de cela ! Explique-moi plutôt ce que tu faisais à Mexico, l'autre jour, et où prends-tu tout ton argent ?

— Ah ! parce qu'en plus tu me reproches d'être riche ? Et qui paye pour toi ? Qui va régler tes frais de scolarité ? Ton cousin, peut-être ?

— Je vais m'organiser pour mes études. D'ailleurs, ça m'enlève le goût d'étudier en médecine, quand je vois où ça t'a mené.

— Tu devrais plutôt être fier de ce que je fais. Grâce à moi, des dizaines de familles peuvent vivre mieux. Même le manchot va pouvoir passer la frontière et retrouver sa femme. Tu penses peut-être que j'exploite ces gens. En réalité, je suis le seul espoir qu'ils ont de pouvoir sortir de leur misère. Ce sont peut-être des ignorants sans envergure, mais au moins ils ont le droit de faire ce qu'ils veulent de leur corps. Quant à moi, je m'acquitte de ce travail de façon professionnelle et je leur donne la compensation qu'ils méritent. Toi, tu te contentes de leur fournir des pansements et tu t'imagines que c'est suffisant et que ça te donne le droit de me faire la morale !

— Les chirurgiens honnêtes prélèvent des organes sur des donneurs volontaires et morts. C'est très différent. Les riches n'ont qu'à attendre leur tour. Nos compatriotes n'ont pas à servir de réservoir à organes de rechange pour des Américains malades.

— Je sauve des vies humaines en faisant ces chirurgies. Tu n'as pas l'air de te rendre compte que la vie est très difficile pour la majorité des individus de la planète. C'est facile de juger les autres quand on est en bonne santé et qu'on n'a pas de soucis financiers !

— Et maman, elle est au courant ?

— Non, et ne lui en parle surtout pas. Et passe le message à ton cousin de se mêler de ses affaires, sinon ça va chauffer !

Sur ces mots, je préfère disparaître dans la chambre. Pauvre Enrique ! Là, il a vraiment perdu ses illusions. Quant à moi, le «morveux», je vais me dépêcher de partir pour la mer… en attendant que l'orage soit passé. Quelle crapule, ce Carlos !

J'entends la mer, le bruit des vagues. Il fait chaud, le ciel est bleu, et j'ai fini mon livre. Je me souviens qu'un jour, un prof de français nous avait dit : « On sait qu'un livre est bon lorsque, quand on a fini de le lire, on a l'impression d'avoir perdu un ami. » À l'époque, je croyais qu'il exagérait avec ses histoires. C'est seulement aujourd'hui que j'ai compris ce qu'il voulait dire. J'ai fini mon livre et je ressens comme un vide à l'intérieur de moi. Les personnages de cette histoire ont fait partie de ma vie au cours des dernières semaines. Ils m'habitaient. Et voilà qu'aujourd'hui, d'un coup sec, ils disparaissent pour de bon. Comme s'ils étaient morts. En plus, Rosa me manque beaucoup. Je me sens donc doublement seul.

D'ailleurs, la fin du livre est triste, ce qui n'arrange pas les choses ; mais j'ai enfin compris le titre. Algernon, la souris de laboratoire, a subi la même opération que Charlie le retardé, mais elle est morte des suites de l'intervention. À la fin, Charlie demande à un ami de bien vouloir aller fleurir la tombe d'Algernon. Je crois qu'il sent qu'il va mourir, lui aussi. L'auteur ne le dit pas, mais c'est l'impression qu'il laisse. Comme si la mort annonçait la mort.

C'est peut-être pour cela que j'avoue avoir été triste à cause d'une souris qui n'existe que dans l'imagination d'un auteur. Cela me rappelle aussi qu'un jour, pour mon septième anniversaire, j'avais reçu un hamster. Un soir de novembre, alors que la nature avait revêtu ses allures les plus lugubres, j'ai trouvé mon hamster sans vie dans le fond de sa cage. La semaine suivante, deux policiers frappaient à notre porte pour nous annoncer la mort accidentelle de papa.

Je n'ai jamais voulu avoir d'autres hamsters et, depuis ce temps, je déteste les policiers.

J'ai donc posé mon livre sur le sable et mon regard sur maman, qui se baigne avec Cynthia. Paul ronfle, couché sur une chaise longue. Moi, je suis là, allongé sous un parasol, et, comme d'habitude, je voudrais être ailleurs.

J'ai pourtant rêvé si souvent de vacances au soleil. Combien de fois ai-je été jaloux de mes amis qui allaient dans le Sud chaque hiver, avec leurs parents ? Maintenant que c'est mon tour, je n'arrive pas à m'amuser.

D'abord, je m'ennuie de Rosa. Pourquoi faut-il toujours que je m'ennuie de quelqu'un ? Je suis parti en vacances au début de juillet, à reculons, pour ne pas dire de force, parce que je laissais derrière moi mon univers et, bien sûr, Marie-Ève.

Aujourd'hui, un mois plus tard, je me rends compte que je n'ai pas laissé grand-chose là-bas et que tout ce petit monde y sera encore, inchangé, à mon retour. Je me suis aussi aperçu que j'ai oublié Marie-Ève beaucoup plus vite que je ne l'aurais pensé. Ça m'étonne. Pourtant, je me croyais véritablement amoureux. J'ai peut-être simplement confondu l'attirance physique avec le grand amour et je me suis rendu compte, après quelques semaines, que j'étais en réalité attiré par une image, une coquille plus ou moins vide, qui aurait agréablement meublé mes soirées d'été, sans plus.

Bref, il m'a fallu attendre à la semaine dernière pour me rendre compte qu'être vraiment amoureux signifie bien plus que je ne le croyais.

Résultat, je suis ici, dans un endroit paradisiaque et je ne fais qu'une chose : regarder les étoiles et compter les jours qui me séparent de Rosa. De plus, bien des choses me fatiguent ici. Par exemple, ce luxe exagéré qui nous entoure, ce gaspillage de nourriture dont je suis témoin au restaurant, trois fois par jour. Ça m'écœure de voir ces assiettées à moitié pleines qui se retrouvent aux poubelles à cause des caprices de tous ces touristes qui se servent au buffet des portions démesurées.

Pendant ce temps, Rosa doit fouiller le dépotoir afin de trouver quelque chose à manger ou à vendre. Ça me coupe l'appétit et me rend terriblement conscient de l'inégalité sociale qui règne dans certains pays. J'ai honte d'être ici, vautré sur cette plage, le ventre plein, un breuvage rafraîchissant à la main, pendant que d'autres s'échinent à trouver leur pitance parmi des rebuts infects dont même nos chats ne voudraient pas. Ce qui n'est plus bon pour certains devient vital pour d'autres. Quelle ironie !

Maman ne comprend pas pourquoi j'ai l'air si déprimé. Elle pense que c'est mon air habituel d'adolescent blasé qui trouve tout «platte», à part les jeux vidéo, les danses et les filles. Elle s'imagine que je boude parce que je m'ennuie de mes amis et que je veux lui faire payer, par ma mauvaise humeur, de m'avoir emmené en voyage contre mon gré. Je devrais lui expliquer, mais c'est difficile. Rosa, c'est un secret que je ne veux pas encore partager avec elle. J'aimerais bien pouvoir faire davantage confiance à maman, mais je ne sais jamais comment elle va réagir. Alors, je préfère ne rien lui dire.

Justement, c'est la troisième fois qu'elle m'appelle pour que j'aille me baigner. Je décide donc de lui faire plaisir et de me rafraîchir par la même occasion. Elle m'accueille avec son plus beau sourire. C'est vrai qu'elle n'a pas pris souvent de vacances ces dernières années. Ça n'a pas toujours été facile pour elle.

D'abord, elle a tout quitté pour suivre mon père. Elle a laissé derrière elle sa famille, son pays, sa culture, pour se retrouver à l'autre bout du continent, entourée d'étrangers. Pour papa, qui n'avait passé que quelques années au Mexique, c'était agréable de se retrouver chez lui. C'est elle qui a dû s'adapter. Mais comme Rosa, elle a fait preuve de courage et a réussi à s'intégrer rapidement.

Puis il y a eu ce stupide accident de voiture qui l'a privée de l'homme de sa vie et qui l'a plongée dans un certain isolement. Aujourd'hui, je comprends mieux pourquoi elle tient tant à moi : je suis tout ce qu'il lui reste d'un homme qu'elle a suffisamment aimé pour le suivre à l'étranger.

Alors, je suis content qu'elle s'amuse dans les vagues, comme une petite fille qui va à la mer pour la première fois. Cynthia réussit à me faire rire. Elle a l'air d'un gros poisson tropical avec son maillot rayé jaune vif et son onguent violet au zinc dont elle s'enduit le visage et les épaules. Au moins, elle prend des précautions à présent. J'espère juste qu'elle ne finira pas dans le ventre d'un requin, à cause de son déguisement de proie voyante et dodue. Avec elle, plus rien ne pourrait me surprendre.

D'ailleurs, hier soir, elle a voulu m'emprunter mon baladeur. J'ai donc raconté que je me l'étais fait voler, en ville, par trois gars qui m'avaient suivi. J'ai ajouté qu'ils ont pris aussi ma montre et mon appareil photo.

— Ta montre et ton appareil photo? Et tu n'as rien fait? s'exclame maman, visiblement déçue.

— As-tu prévenu la police, au moins? ajoute Paul.

— La police? Et qu'est-ce que tu aurais voulu qu'elle fasse… Une enquête publique, peut-être!

— C'est épouvantable à quel point les gens sont malhonnêtes, dit Paul, indigné. Ça coûte cher, ces trucs-là.

Je soupire. Je ne peux m'empêcher d'ajouter :

— C'est facile d'être honnête quand on a tout ce qu'on veut!

— O.K., O.K. Te fâche pas… C'est dommage, c'est tout. Et donc, t'as aussi perdu tes photos, j'imagine.

Encore les photos! Une vraie fixation, ma foi! Dans le fond, mon mensonge me permet de régler ce détail du même coup.

— Eh oui, disparues les photos! Dommage, elles auraient été vraiment spectaculaires… Tant pis!

Quelles conversations inutiles!

Plus les journées passent, plus je suis inquiet pour Rosa. Il peut lui arriver n'importe quoi là-bas. Elle peut se blesser, tomber malade ou même se faire attaquer. Elle est seule, la nuit, dans sa bicoque. Plus je pense à elle, à la façon dont elle vit, plus je me creuse la tête pour trouver une solution afin de la sortir de là. Je dois absolument tenir ma promesse.

De toute façon, je ne saurai plus me passer d'elle; elle me manque trop. Il faut à tout prix que je me débrouille pour trouver un moyen de lui faire franchir la frontière. Après, on verra. J'imagine qu'ils vont nous faire remplir des tas de paperasses à l'immigration et que ça va être plutôt compliqué, mais, chose certaine, il n'est pas question que je reparte sans Rosa. Pour moi, il sera désormais impossible d'être heureux dans la vie tout en sachant qu'elle continue à vivre dans la misère. Surtout que Rosa est ambitieuse. Elle s'accroche à l'espoir de pouvoir un jour quitter cette vie infernale. Or, son seul espoir, c'est moi…

Mais voilà! Comment faire? Ce n'est pas si simple pour une personne de traverser clandestinement la frontière. Certes, les passeurs pullulent le long du Rio Grande. Mais ça coûte cher, c'est dangereux et loin d'être garanti. De plus, belle et fragile comme elle est, j'hésite à la confier à des étrangers peu scrupuleux qui n'hésiteraient peut-être pas à abuser de sa situation précaire.

Par la suite, que ferait-elle toute seule aux États-Unis ? Elle risquerait de se faire exploiter par le premier venu qui lui offrirait un travail au marché noir pour un salaire dérisoire. Le rêve américain se transforme souvent en cauchemar pour les centaines de sans-papiers qui passent illégalement le Rio Grande. Je ne veux plus qu'elle souffre ou qu'elle ait peur. Mais comment vais-je faire pour la rejoindre une fois qu'elle sera au Texas ou en Californie ? Ce qu'il faut, c'est trouver une solution pour l'emmener avec moi jusqu'à Montréal. Je veux qu'elle aille à l'école comme elle le désire. Je veux qu'elle vive une existence normale d'adolescente de seize ans. Je veux qu'elle goûte à l'insouciance, au bonheur de ne pas avoir à se préoccuper du lendemain ni du surlendemain. Je veux que son unique souci se limite dorénavant à choisir entre deux vêtements à acheter dans une boutique ou à hésiter à changer la couleur de ses cheveux. Bref, je veux lui permettre de vivre comme les autres filles de son âge et non plus simplement d'exister, comme elle le fait depuis trop longtemps maintenant.

Mais comment ?

J'ai passé la totalité de mon séjour à la plage à essayer de trouver une solution réaliste, sans succès. Ce soir, je n'ai rien trouvé de mieux à faire que de rester accoudé au bar avec Paul ! Les filles sont parties se coucher assez tôt. Je sirote tranquillement une « piña colada » tandis que Paul se gave de tequila en écoutant les musiciens engagés par l'hôtel. On se raconte toutes sortes de conneries. On rit des autres touristes, de l'allure de ces inconnus qui nous entourent. Je suis content de le voir aussi détendu et moi, ça me fait du bien de rigoler ainsi pour rien.

Puis il se met à me parler plus sérieusement. Il s'inquiète pour Cynthia : ses résultats scolaires sont en baisse continuelle depuis son divorce, et il se sent coupable de n'avoir pas été assez présent pour elle ces dernières années. En septembre, elle doit reprendre sa première secondaire qu'elle a lamentablement échouée et il en est tout désappointé.

— Je ne peux pas vraiment la blâmer. Je n'étais pas là pour lui apporter le support nécessaire et la motiver.

— Mais sa mère était là quand même, dis-je pour essayer de le déculpabiliser un peu.

— Oui, mais elle ne se préoccupait que de son nouveau «chum» et de son emploi. Comme elle a été promue cadre dans sa compagnie, sa fille est devenue le cadet de ses soucis. Enfin, on verra. Ça ira peut-être mieux l'année prochaine.

On dirait que tout le monde passe sa vie à se faire du souci pour les autres. J'aimerais bien lui demander conseil au sujet de Rosa, mais je préfère le tenir en dehors de mes problèmes. Il ne connaît pas grand-chose du Mexique et il ne voudra jamais prendre de risques, surtout pour une simple inconnue. Je me rends bien compte que lui aussi a ses problèmes et qu'il n'a pas besoin des miens en plus.

Je décide finalement d'aller me coucher, laissant Paul seul au bar, avec ses inquiétudes. Quant à moi, j'espère que la nuit me portera conseil, car on retourne à Monterrey après-demain. Ensuite, il ne me restera que quelques jours pour mettre au point cet ambitieux projet. Le projet le plus important de ma vie.

Je fais un détour par la plage. La nuit est noire, mais l'étoile du Petit Prince brille pour moi. Je devine la lisière de la mer par la lueur blanchâtre que diffuse l'écume au sommet des vagues déferlantes. Je sens l'eau tiède qui me lèche les pieds et le sable frais qui se dérobe sous mon poids à mesure que j'avance vers notre villa.

J'entre et m'étends tout habillé sur mon lit. La tête me tourne légèrement, mais je n'ai pas vraiment sommeil. Mon regard se pose sur le chien qui dort, affalé de tout son long sur le tapis qui longe la fenêtre. Il soupire dans son sommeil. Je ne peux m'empêcher de penser que ce chien est mieux nourri, mieux soigné, plus dorloté que ma Rosa à moi. Il est là, ronflant, jouissant d'une béatitude qu'envieraient des millions de personnes. Quand je pense que lui, au moins, peut passer les frontières facilement !

Je m'endors finalement en réfléchissant à l'absurdité de la vie...

Il fait déjà chaud dans la pièce lorsque je me fais réveiller par Pacha qui me lèche le visage. Je me cache la tête sous l'oreiller dans l'espoir de me rendormir.

— Arrête, Pacha ! T'es dégueulasse ! Quelle plaie, ce chien !

Soudain, je me redresse d'un seul coup et je le regarde, le souffle coupé, le cœur battant.

— Eurêka! comme disait Tintin. Ça y
est, je l'ai trouvée, la solution! Viens, Pacha,
viens te promener un peu!

Il est tellement content de sortir enfin! Et
moi, je me demande pourquoi je n'ai pas
pensé à cette idée avant.

— Tu vas être le chien le plus utile au
monde, lui dis-je en courant à côté de lui. Et
je ne t'aurai pas enduré tout l'été pour rien!

Dans le fond, c'est génial, un chien. On
peut lui dire n'importe quoi et il est toujours
heureux et ne répète jamais rien. Et moi, je
vais pouvoir passer cette dernière journée à
fignoler mon plan. Je me sens tellement
soulagé et heureux d'avoir trouvé la solution
pour Rosa que je me mets à genoux pour
couvrir de caresses cette grosse boule de poils
gris et blanc qui se demande bien ce qui me
rend de si bonne humeur. Cynthia revient de
la salle à manger et m'interroge:

— Qu'est-ce qu'il y a? T'es content parce
qu'on part bientôt et t'a trouvé personne
d'autre que Pacha pour célébrer?

— C'est en plein cela! On ne peut rien
te cacher!

Je termine ma phrase en me jetant dans
les vagues turquoise qui m'accueillent d'une
caresse tiède et sensuelle. Le ciel est bleu clair
et la mer à l'horizon a la couleur de l'ardoise,
légèrement violacée. Toutes ces teintes de

bleu qui se côtoient offrent à mon regard un spectacle éblouissant. Je fais quelques brasses en contemplant cet horizon plein de promesses. Que la vie est belle !

14

LA FRONTIÈRE

Je suis nerveux : c'est le jour du grand départ pour Montréal, le jour J pour Rosa. Mon plan est au point ; je lui ai tout expliqué et de plus, je me suis assuré de la complicité d'Enrique, toujours content de pouvoir me rendre service. Je suis certain que ça va fonctionner.

Maman, Paul et Cynthia ne sont au courant de rien. Je préfère les mettre devant le fait accompli. C'est mieux ainsi. Ils seront plus naturels rendus aux douanes.

Il y a deux jours, j'ai fait le trajet en voiture avec Enrique, jusqu'au poste frontière.

— Es-tu bien certain que c'est le trajet que Paul va choisir et qu'il partira à l'heure ?

— Paul est toujours ponctuel et ça fait trois fois qu'il regarde sa carte et me montre l'itinéraire. Il a souligné la route au marqueur.

Nous avons repéré un casse-croûte à trois heures de route de Monterrey. Je prends des notes pour être sûr de reconnaître les lieux. À droite du resto, attenant au stationnement, il y a un kiosque abandonné qui devait servir à vendre des fruits et légumes.

— C'est parfait. À combien de kilomètres ?

— Environ deux cent trente-cinq kilomètres, répond Enrique en consultant l'odomètre.

Donc, l'heure du départ a sonné. On a remis les valises à l'arrière, de chaque côté de la cage de Pacha, qui ne veut à aucun prix y entrer. Ils se doute, le pauvre, que ça va être long.

Cynthia essaie de le consoler en passant ses doigts par le grillage de la porte, pendant que je fais mes adieux à ma tante et surtout à ma grand-mère qui pleure de nous voir partir.

— Allons, *abuelita* ! Nous allons revenir, tu sais bien !

— Ah, tu sais, mon garçon, Dieu seul sait ce que l'avenir nous réserve ! répond-elle, résignée. Soyez prudents…

Maman et sa sœur s'étreignent longuement. Carlos fait une brève apparition et nous souhaite bon voyage, visiblement soulagé de nous voir enfin partir. Quant à moi, je m'installe à ma place, le plus vite possible, afin d'éviter tout contact avec cet être abject. Ma tante excuse l'absence d'Enrique : il est parti tôt, explique-t-elle. Il y avait une urgence au dispensaire. Je suis plutôt stressé. Je préfère couper court aux salutations. Il ne faut surtout pas être en retard.

On se met finalement en route. Tout va bien. Paul emprunte l'autoroute 85, comme prévu. Il roule à cent dix kilomètres à l'heure. Si mes calculs sont bons, nous serons au resto vers onze heures quarante-cinq, soit à l'heure habituelle du dîner.

Je commence à peine à me détendre un peu que maman propose à Paul de prendre une route alternative, plus jolie. Heureusement, il refuse, prétextant qu'il préfère rester sur l'autoroute, par prudence. J'ajoute que la route sera très longue et qu'il faut éviter les détours à tout prix si on veut arriver à la maison avant la rentrée des classes.

— N'exagère pas, tout de même, Francis. Et depuis quand te soucies-tu de la rentrée ? demande-t-elle.

J'essaie de fermer les yeux. Mon baladeur me manque. Tant pis, ce n'est pas la fin du monde. J'en demanderai un autre à maman pour Noël. La route est longue. J'ai peur que tout ça tourne mal, mais j'essaie de chasser mes pensées négatives. De toute façon, ça ne sert à rien et il est trop tard pour reculer. Pacha gémit. Il est moins patient qu'à l'aller, on dirait. Cynthia essaie de le calmer en lui parlant.

Onze heures trente! On a parcouru deux cent cinq kilomètres. Il ne reste que trente kilomètres avant le resto. Je commence à me plaindre d'avoir faim. Maman me tend un fruit «pour me faire patienter un peu», ajoute-t-elle. Puis Paul aperçoit une pancarte annonçant un casse-croûte. Il suggère d'y arrêter

— Non, non, Paul! Ça va, je peux attendre!

Il insiste malgré tout:

— Moi aussi, j'ai faim et Pacha veut sûrement descendre.

J'essaie désespérément de le faire changer d'idée:

— Regarde, ça n'a pas l'air propre, ici. Je suis sûr qu'on trouvera mieux un peu plus loin, n'est-ce pas, maman?

— C'est vrai, Francis a raison, on mangera plus tard.

C'est avec un immense soulagement que je le vois bifurquer pour reprendre l'autoroute.

J'ai vraiment eu chaud! On arrive enfin en vue du restaurant prévu. Je suggère à Paul d'y arrêter. Il suit mon conseil et maman est d'accord, comme d'habitude. Tout va bien. Je reconnais la bagnole d'Enrique dans le stationnement. Personne n'y fait attention, il y en a tellement de semblables.

Tout le monde descend. Cynthia fait sortir le chien pour qu'il puisse se dégourdir les pattes. Quant à moi, je me précipite à l'intérieur pour choisir une table, bien au fond, loin des fenêtres. On s'installe. Tout le monde passe sa commande. Le service est lent. Je commence à manifester de l'impatience.

— Allons, Francis, calme-toi un peu! dit maman. Qu'est-ce qui presse tant?

— Rien, rien. J'ai faim, c'est tout.

À la table d'à côté, un bébé s'amuse à jeter par terre chaque jouet que sa mère lui donne. Son petit manège m'amuse et m'aide à me calmer. Je suis en train de me dire qu'il faut avoir beaucoup de patience pour s'occuper d'un bébé quand nos assiettes arrivent enfin.

J'avale mes *enchiladas* tellement vite que je manque de m'étouffer. Cynthia n'en est qu'à la troisième bouchée quand je me lève, expliquant que j'ai fini et que je vais aller faire un tour dehors avec Pacha. Je demande les clés de l'auto à Paul, pour pouvoir ouvrir les portières et aérer l'intérieur de celle-ci. Il me tend son trousseau.

— Bonne idée. Fais partir l'air climatisé aussi.

Je sors et fais un signe en direction du kiosque désaffecté. Enrique émerge de l'arrière, suivi de Rosa qui marche sur ses talons, n'emportant avec elle qu'un petit baluchon.

Nous nous dirigeons rapidement vers la fourgonnette. Une fois rendus à l'arrière de celle-ci, on se détend un peu. J'embrasse la joue pâle de Rosa.

— Tout va bien, ils n'ont pas fini de manger.

— J'ai peur, Francis. Tu es sûr que ça va marcher ?

— Sûr, les douaniers n'ont rien fouillé quand on est entrés au Mexique. Je ne vois pas pourquoi ce serait différent cette fois-ci. Ne t'inquiète pas.

J'ouvre la portière, puis la porte de la cage. Pacha en sort, tout excité. J'attache sa laisse et la tend à Enrique.

— Allez, installe-toi maintenant, dis-je à Rosa en lui tendant un paquet. Tiens, c'est un sandwich et de l'eau en bouteille. Le trajet devrait durer environ une heure jusqu'à la frontière. Je te ferai sortir à la première occasion.

Elle se glisse dans la cage de plastique. Elle y entre tout juste et doit replier les jambes pour que je puisse fermer la porte. Je n'aime pas l'enfermer ainsi comme un petit animal, mais je n'ai pas le choix. Puis je retourne vers Enrique, toujours là, tenant le chien en laisse. Je me penche pour caresser sa grosse tête hirsute et lui dis :

— Merci, Pacha ! T'es un bon chien. Tu vas aimer le Mexique. Tu n'auras jamais froid aux pattes ! Enrique va prendre bien soin de toi.

Puis je me redresse et donne l'accolade à mon cousin.

— Merci pour tout, Enrique. Je n'oublierai jamais ce que tu as fait pour Rosa et moi.

— C'est rien, allons ! Bonne chance ! Dès que j'aurai ma nouvelle adresse Internet à Mexico, je t'écrirai pour prendre de vos nouvelles. Ne t'inquiète pas pour le chien. Je vais le laisser chez Eduardo, sa femme adore les animaux.

Enrique retourne à sa voiture en emmenant le chien. Je m'assieds à l'intérieur de la nôtre et démarre le moteur et l'air climatisé. Je sais qu'ils vont sortir du restaurant d'une minute à l'autre et je veux profiter de ces quelques instants pour distraire un peu Rosa.

— Ça va ?

— Oui, ça va. Tu sais, Francis, si jamais ça tournait mal à la frontière, promets-moi de ne rien dire, de faire semblant de rien.

— Mais voyons, Rosa...

— J'insiste. Je saurai me débrouiller. Je ne veux pas causer d'ennuis à ta famille.

— Ne parle pas comme ça. Je suis certain que tout va bien se passer.

— J'espère que tu as raison... Tu sais, j'ai eu des nouvelles de mon voisin, par sa sœur. Il a réussi.

— Il est déjà parti?

— Oui, il a guéri très vite et, dès qu'il a pu, il a traversé avec les petits. Il a retrouvé sa femme assez facilement, paraît-il.

— Tant mieux pour lui!

Avec un certain malaise, je réalise que c'est l'intervention chirurgicale de Carlos qui a permis leurs retrouvailles. Ça me fait réfléchir tout de même...

— Les petits vont pouvoir aller à l'école. Te rends-tu compte? poursuit Rosa.

— Une fois à Montréal, on va te trouver une école, à toi aussi. Mais tu devras apprendre le français!

— C'est vrai? Est-ce compliqué?

— C'est difficile à écrire, mais tu vas aimer cela. Ça ressemble à l'espagnol.

— De quoi vais-je avoir l'air, à mon âge, en cinquième année sans rien comprendre?

— Ne t'en fais pas, il y a des classes d'immersion pour les immigrants. Et je vais t'aider.

— Merci, Francis. Tu es gentil. J'ai hâte d'être là-bas. Il y a déjà de la neige?

— Non, non, pas avant Noël… et encore. Mais tais-toi maintenant, ils arrivent!

On roule depuis environ dix minutes sur l'autoroute. Personne ne se doute de rien. Tout le monde bavarde, de bonne humeur. J'essaie de camoufler mon angoisse en racontant des niaiseries pour faire rire les autres. Ça marche à tout coup, surtout quand j'imite mes profs. Soudainement, mon cœur arrête de battre. À côté de nous, une voiture de police, gyrophares allumés, fait signe à Paul de se garer sur l'accotement.

Mais qu'est-ce qu'ils veulent, ces crétins en uniforme? On a fait des milliers de kilomètres à l'aller sans se faire arrêter une fois et là, alors que ce n'est vraiment pas le moment, ils nous arrêtent, sans raison.

Je m'adresse à maman en espagnol afin que Rosa comprenne ce qui se passe:

— *¿Qué es lo que quieren los policías? ¿Porqué nos detienen[12]?*

---

[12] Qu'est-ce qu'ils veulent, ces policiers? Pourquoi nous arrêtent-ils?

— *No sé, Francis. No tenemos culpa de nada, no te preocupes*[13].

Facile à dire, «ne t'inquiète pas», quand je sais que Rosa est toute recroquevillée derrière à la place du chien. Docilement, Paul immobilise la voiture et ouvre la fenêtre. Un des policiers l'aborde :

— Vous avez dépassé en zone interdite.

— Qu'est-ce qu'il dit ?

Maman s'adresse directement au policier :

— Il ne peut pas savoir, il est touriste.

— Oui, mais vous, vous devriez le savoir, vous êtes mexicaine, non ?

— Oui, mais je viens de la campagne… il n'y a pas beaucoup d'autoroutes là-bas, ment-elle au policier avec aplomb.

Celui-ci se tourne vers nous et demande qui on est.

— Nos enfants, répond maman sans vouloir entrer dans les détails de notre famille reconstituée.

Il se contente de nous dévisager, trouvant sûrement qu'on est plutôt mal assortis comme frère et sœur. Il feuillette les papiers de Paul distraitement, puis se dirige vers l'arrière de la voiture. Je suis pétrifié. J'ose à peine respirer. Je suis sûr qu'il doit entendre mon cœur

---

[13] Je ne sais pas, Francis. Nous n'avons rien à nous reprocher, ne t'inquiète pas.

battre à travers ma cage thoracique. Il sort sa lampe électrique et éclaire l'arrière de la voiture en essayant d'en discerner le contenu.

— Qu'est-ce qu'il y a dans la cage? demande-t-il.

Je m'empresse de lui répondre, en arborant un sourire niais mais digne du plus gentil petit garçon à sa maman :

— Notre chien. Il dort.

Cynthia a compris. Elle ajoute avec son naturel habituel :

— *Yes, dog. Pacha good dog but big.*

Elle devient bonne en espagnol, vraiment, après six semaines, quel progrès! Le policier hésite à réveiller un«bétail» de cette taille. Maman a la bonne idée d'utiliser sa méthode habituelle en lui tendant un billet de banque. Cela détourne son attention.

— Est-ce que ça peut s'arranger comme ça? demande-t-elle en lui tendant l'argent.

— D'accord, ça va pour cette fois!

Il empoche le billet et retourne à son auto sans rien ajouter. Ouf! je soupire de soulagement. On l'a vraiment échappé belle. Pendant que je me remets de ma crise cardiaque, Paul reproche à maman d'avoir donné tant d'argent au policier.

— Tu aurais préféré qu'il fouille toute la voiture et se mette à déballer tes caleçons sur le bord de la route, c'est ça?

— Bon, bon, ça va. Tu as raison. J'espère juste qu'ils ne nous fouilleront pas à la frontière. Ils ont l'air plutôt paranoïaques dans le coin.

Je recommence à stresser. J'ai un mauvais pressentiment. C'est mal parti! Quand on avait besoin d'eux à Mexico, ils nous riaient dans la face, ces imbéciles de policiers, et maintenant, alors que je voudrais les voir à Tombouctou, ils nous arrêtent sans raison. J'ai les mains moites et j'ai chaud. Je pense à la pauvre Rosa, en position fœtale à l'arrière. Elle a dû avoir la frousse de sa vie! Et moi qui ne peux même pas la rassurer. Soudainement, j'ai l'idée de m'adresser à Pacha en espagnol.

— *Todo está bien, Pacha! Ya se fueron esos malos policías. Ya nadie va a venir a molestarte*[14].

— Depuis quand tu parles en espagnol au chien? demande Paul.

— Bien, quoi? C'est vous qui n'arrêtez pas de dire que c'est important de connaître plusieurs langues!

— Il sait déjà l'anglais et le français, renchérit Cynthia. Là, si tu ajoutes l'espagnol, il va être tout mêlé.

---

[14] Tout va bien, Pacha. Ils sont partis, les méchants policiers. Personne ne va venir te déranger maintenant.

— Mais non! On va en faire le premier chien trilingue d'Amérique. D'ailleurs, on aurait dû l'appeler Alena,

— Ça veut dire quoi, Alena? demande Cynthia.

— C'est un accord de libre-échange entre les trois pays de l'Amérique du Nord, ma grande, explique Paul.

— Bon! Voilà la frontière, je vais sortir les passeports, l'interrompt maman.

Paul se place dans la file d'attente. Il y a beaucoup moins de monde qu'à l'aller. Je recommence à avoir peur. Mon estomac se noue. J'essaie de me convaincre pour la centième fois que tout va bien se passer. Paul s'énerve aussi, ce qui n'aide en rien.

— J'espère qu'ils ne vont pas nous fouiller. Ils surveillent davantage quand il y a moins de monde, marmonne Paul.

— Et qu'est-ce que ça peut faire, qu'ils nous fouillent? demande maman.

— Ça fait que je n'ai pas envie qu'ils trouvent les six bouteilles de tequila que je rapporte...

Sa tequila! Il s'inquiète pour six malheureuses bouteilles! Une chance qu'il n'est au courant de rien! Je l'imagine en train de trembler à l'approche du douanier américain... D'ailleurs, c'est notre tour.

L'officier nous pose les questions habituelles. Nous donnons les réponses habituelles. Tout va vite, trop vite. Il s'apprête à nous dire d'avancer lorsqu'il jette un coup d'œil à notre chargement. J'entends maman qui explique que c'est notre chien. Le douanier veut voir les certificats de vaccination ! Je me sens faiblir. Suite à la réponse négative de maman, le douanier se lève, sort de sa guérite et contourne l'auto. IL DEMANDE À PAUL D'OUVRIR LA PORTE ARRIÈRE !!!

Je n'ai pas le temps de réagir, je ne peux rien faire ! Tout se déroule comme dans un film au ralenti. Un film sur lequel je n'ai aucun contrôle et que je ne peux pas interrompre. Ils trouvent Rosa, la font descendre devant un Paul estomaqué, une Sylvia incrédule, une Cynthia hystérique et un Francis mortifié. Je suis témoin de son arrestation, impuissant, obligé de me taire devant tout le monde pour nous sauver du désastre.

Les douaniers américains l'ont remise aux autorités mexicaines et ils l'ont enfermée dans une petite pièce. J'entends encore ses pleurs, ses cris de fureur. C'est très dur de rester sourd et aveugle devant sa détresse. Je la vois, tambourinant de ses poings fermés contre la fenêtre de la salle de détention. Je me sens tellement inutile. Je me retiens pour ne pas intervenir. Mais Rosa avait raison ; je dois protéger ma famille qui n'a rien à voir avec toute cette histoire.

Donc, tout ce que je peux faire, c'est rester là, pétrifié, spectateur muet de cette scène horrible. J'essaie désespérément de croiser son regard pour lui faire comprendre que je ne l'abandonnerai pas. Même si je fais semblant de ne pas la connaître, je veux qu'elle comprenne que je ferai tout pour la sortir de là.

Ils nous emmènent tous les quatre à l'intérieur du poste pour nous interroger. Évidemment, personne ne sait d'où elle sort. Ils racontent que la dernière fois qu'ils ont vu le chien, c'était au restaurant, il y a un peu plus d'une heure. La seule hypothèse plausible, c'est que cette jeune fille a voulu profiter de notre voiture pour entrer illégalement aux États-Unis. Elle a dû faire sortir le chien pendant qu'on était en train de manger. Je tiens exactement le même discours que les autres. Quant à Cynthia, elle ne cesse de pleurer la perte de son chien. Bref, tout le monde a l'air tellement convaincu de ne rien savoir de tout cela qu'ils nous laissent repartir après quelques heures d'interrogatoire.

Les agents d'immigration sont même sympathiques à notre cause. Ils nous expliquent que nous ne sommes pas les premiers à être victimes de ce genre de chose. Pour eux, la question de la surveillance des frontières constitue un véritable casse-tête. Ils disent qu'il faudrait trouver une solution radicale pour empêcher tous ces immigrants de venir les envahir.

En plus de ce que je viens de vivre, je dois subir les lamentations des douaniers de l'Oncle Sam, envahis par les «méchants» étrangers sans papiers. Il y a même une femme qui console Cynthia d'avoir perdu son chien!

J'ai le cœur en lambeaux. J'entends encore résonner à mes oreilles les cris de Rosa, je vois sa bouche articuler mon nom entre deux sanglots. Mon plan a échoué. J'ai perdu mon amour. Et je ne peux le dire à personne. Et personne ne peut me consoler. J'envie Cynthia qui, elle au moins, a le droit de pleurer la disparition de son chien. Moi, je dois faire semblant de rien. Alors que je suis mort à l'intérieur. Mort d'horreur, mort de peine, mort de remords.

Je ne me souviens pas du reste du trajet. Nous sommes revenus vite, c'est à peine si Paul a dormi. L'épisode de la frontière a jeté une ombre sur nous tous. Cynthia est inconsolable. Je réalise à quel point elle l'aimait, ce chien. Peut-être parce que lui, au moins, ne la jugeait pas. Moi, je n'ai pas ouvert la bouche une seule fois. Ils doivent penser que j'ai une tête d'enterrement à cause de Pacha. Tant mieux. Cependant, je pense que maman a deviné pour Rosa. Elle doit se souvenir qu'elle a eu quinze ans, elle aussi.

Sitôt arrivés, nous vidons la voiture. Paul est ravi. Les douaniers n'ont même pas trouvé sa tequila. Tu parles! Je sors la cage, doublement inutile à présent.

Moi qui pensais être le sauveur de Rosa, je suis devenu l'artisan de son malheur. Je n'arrive pas à me déculpabiliser. Jamais je n'aurais dû lui faire courir un pareil risque. C'est trop épouvantable de ne pouvoir échapper à sa conscience et c'est impossible de fuir ses remords. De plus, j'étais tellement sûr de mon plan que je n'ai même pas cru bon de donner des instructions précises à Rosa en cas d'échec.

Ce qui me désole encore davantage, c'est que je ne sais pas comment la joindre. Enrique ne va plus au dispensaire; il est déménagé à Mexico pour ses études. J'espère que Rosa va se dépêcher à m'écrire, car je ne peux plus entrer en contact avec elle. Pourtant, je pensais vraiment avoir tout prévu. J'étais trop confiant… Je n'ai envisagé que le scénario qui faisait mon affaire. Maintenant, un problème insoluble se dresse devant moi, comme un mur impossible à franchir. Il va bien falloir que je finisse par en parler à quelqu'un.

Pendant que je rumine des pensées noires, je dépose la cage par terre. Quelque chose roule à l'intérieur. Son baluchon ! J'avais oublié son baluchon. C'est incroyable ! Les douaniers n'ont rien vérifié. Ils se sont contentés de la remettre aux autorités sans chercher autre chose.

Le paquet sous le bras, je ramasse mon sac et monte à ma chambre. Je m'y enferme pour être seul, enfin, après tout ce temps à souffrir de promiscuité. Je m'installe sur mon lit et je déballe ses quelques effets.

Je trouve d'abord, roulée en boule, sa robe fleurie, quelques sous-vêtements et objets de toilette. Il y a aussi une photo, sa mère sans doute, et une autre d'elle-même lors de sa première communion. Je trouve également un minuscule carnet dans lequel elle a noté mon adresse. Je réalise du même coup qu'elle ne pourra pas m'écrire, à moins qu'elle ne l'ait apprise par cœur. Puis, au fond du sac, je reconnais un paquet ficelé. Fébrilement, je détache les ficelles, espérant avoir deviné juste. La statuette !

Je sens renaître en moi un peu d'espoir. La statuette était restée tout ce temps dans le fond de la cage ! Je la prends délicatement et lui adresse la parole en la regardant dans les yeux :

— Toi, tu vas m'aider à retrouver ma Rosa, pas vrai ?

15

VICTOR DE SAINT-APOLLINAIRE

Jamais les journées ne m'ont paru aussi longues. Je tourne en rond dans la maison. Je pense à Rosa sans arrêt, mais je suis plus optimiste. Je suis convaincu que je vais la revoir. Mais quand? C'est la grande question. En attendant, je concentre mes énergies sur la statuette. J'ai consulté plusieurs ouvrages à la bibliothèque sur l'art précolombien sans trouver quoi que ce soit de semblable. Par contre, sur les sites Internet, je vois des objets comparables, parfois, mais les prix ne sont jamais indiqués. Bref, impossible de savoir combien cela peut valoir. Heureusement, l'école commence bientôt. Je n'ai jamais eu aussi hâte à la rentrée ! Je suis convaincu que mon professeur d'enseignement religieux va pouvoir me renseigner au sujet de la statue. Il connaît bien les antiquités et il a même été missionnaire en Amérique centrale pendant plusieurs années. J'ai hâte de voir ce qu'il va en dire.

J'ai revu Sébastien. Il était content de me voir. Il a obtenu son permis de conduire il y a quelques semaines. C'est une bonne nou-velle, surtout qu'il m'a offert de m'emmener à l'école en auto. Je vais pouvoir dormir une demi-heure de plus le matin. C'est toujours ça de pris ! Et puis, il paraît que Marie-Ève sort avec un gars qui va au cégep. Tant mieux pour elle. Moi, ça ne me dérange pas. J'ai d'autres préoccupations ces temps-ci.

L'école est enfin commencée. J'attends l'heure du dîner avec une telle impatience que j'ai du mal à me concentrer sur ce que les profs disent. D'ailleurs, ils ont l'air pas si mal, cette année, à part peut-être le prof d'in-formatique qui est archi-ennuyeux avec sa voix monocorde. Il parle comme une boîte vocale et, de plus, il ressemble à Mr. Bean. Je pense qu'on va s'amuser pas mal dans son cours ! Il y a aussi la prof de maths qui se prend pour Einstein. Heureusement qu'elle ressemble vaguement à Shania Twain, ça va me rendre la trigonométrie plus comestible.

La cloche sonne. Je vole jusqu'à la salle des enseignants, dans l'espoir d'y trouver mon prof d'enseignement religieux. Dans mon sac à dos, bien protégée dans une boîte de carton, la statuette attend de révéler son identité.

Je suis en train de dévaler l'escalier lorsque le surveillant m'interpelle :

— Francis ! Ta chemise !

Ça fait deux mois qu'il ne m'a pas vu et c'est tout ce qu'il trouve à me dire ! C'est vrai que j'ai une propension marquée à ignorer les règlements, surtout ceux qui concernent la tenue vestimentaire, mais quand même ! Je décide d'ironiser un peu, tout en attachant quelques boutons :

— Bonjour, monsieur ! Vous avez passé de belles vacances ?

— Heu… oui…

Ça marche à tout coup. Ils ne savent pas quoi dire quand on répond gentiment à leur intervention. Dès qu'il a tourné le dos, je défais les boutons et franchis le corridor qui me mène à la salle des profs.

J'hésite à interrompre les deux enseignants assis à leur bureau, près de la porte. Ils sont

si concentrés sur leur partie de scrabble!
Après avoir patienté quelques secondes,
j'émets un discret «humm» dans l'espoir d'attirer l'attention de quelqu'un. M. Dion lève
finalement la tête et jette vers moi un regard
distrait.

— Oui?

— Heu, vous n'auriez pas vu M. Dupré?

— Jean-Marie? Il est sûrement dans son
local. Il dîne plus tard généralement.

— Merci.

Je m'apprête à tourner les talons lorsque
j'aperçois la prof de français qui m'a prêté
des livres cet été. Je m'approche d'elle afin
de lui rendre ses bouquins. Elle est en train
d'essayer de classer les énormes piles de
paperasse qui dissimulent son bureau.

— Bonjour, Stéphanie! Vous avez passé
de belles vacances?

Cette fois-ci, je suis sincère. Je me suis
toujours bien entendu avec elle, malgré mon
intérêt très limité pour son cours de français.
Elle me sourit avec son enthousiasme habituel.

— Ah, allô, Francis! Et toi, tu as passé
un bel été?

— Oui. Je suis allé au Mexique.

— Au Mexique? Génial! Tu es resté
longtemps?

— Heu, non, pas vraiment, juste six semaines.

— Six semaines ? Mais c'est déjà beaucoup !

— Juste assez long pour se rendre compte que c'est trop court.

Ma réponse la prend au dépourvu. Elle hésite quelques secondes, puis enchaîne :

— C'est vrai que c'est un pays magnifique, où il y a plein de choses à découvrir.

— Et plein de gens à connaître, surtout. Je vous rapporte vos livres. J'ai lu celui-ci.

— Ah oui, les livres, j'avais oublié… et comment tu l'as trouvé, celui-là ?

Je savais qu'elle me le demanderait. Elle pense toujours que tout le monde aime lire autant qu'elle. Ma réponse est toute prête, heureusement :

— C'est comme pour mon voyage, il m'a fait découvrir beaucoup de choses et connaître de nouveaux personnages. Merci beaucoup !

Sur ce, je la laisse à son classement et je m'empresse d'aller trouver M. Dupré le plus vite possible.

— Bye, Francis ! Travaille comme il faut cette année !

— Promis !

Je trouve M. Dupré dans sa classe, en train d'assigner une place à chacun de ses élèves. Il écrit leur nom sur un plan où les bureaux sont alignés par rangées. Il ne laisse jamais rien au hasard. Il est très consciencieux.

— Bonjour, monsieur Dupré.

— Tiens, tiens. Si c'est pas Francis… Quel bon vent t'amène ?

— J'ai quelque chose à vous montrer. On peut fermer la porte ?

— Sûr. De quoi s'agit-il ?

Il est visiblement intrigué. Tandis que je déballe mon précieux paquet, il fouille dans la poche intérieure de son veston afin d'y trouver ses lunettes. Ses vêtements sentent la pipe. Il doit fumer beaucoup en dehors de l'école. Je retiens mon souffle pendant qu'il l'examine. J'espère que je ne serai pas déçu. Il retourne la statuette de tout bord, tout côté.

— Alors ?

— Mais, pour l'amour du ciel, Francis, où as-tu pris ça ?

— J'ai rapporté cette statuette du Mexique. Elle a été trouvée dans un dépotoir il y a six mois environ.

— Quoi ! Tu as rapporté ça du Mexique ? Dans tes bagages ?

Il a l'air fâché, on dirait. Je ne comprends pas très bien sa réaction.

— Euh, oui. Pourquoi ? Ça cause un problème ?

— Un problème ? Tu ne te rends pas compte que tu aurais pu faire de la prison pour cela !

— De la prison ? Mais pourquoi ?

— Pourquoi ? Parce que tu as entre les mains une pièce exceptionnelle, très rare et certainement authentique. Les antiquités sont protégées là-bas et il est strictement interdit de les sortir du pays. Surtout les objets pré-colombiens qui ont souvent une très grande valeur.

— Tout de même, je ne l'ai pas volée !

— Non, mais c'est l'héritage culturel d'un peuple que tu as détourné, Francis. Et ça, c'est grave ! Tu ne te rappelles pas ? poursuit-il. Il y a quelques années, un jeune Québécois en vacances au Mexique avait été incarcéré là-bas simplement pour avoir ramassé dans son sac à dos quelques morceaux de poterie d'origine maya.

— Ah oui ?

— Ça a pris plusieurs mois avant que ses parents ne réussissent à le faire libérer. Et crois-moi, les prisons mexicaines, ça ne ressemble pas exactement au Club Med.

— Euh… non, je ne me rappelle pas de ça.

Je suis en train de réaliser que je l'ai échappé belle !

— En tout cas, disons que tu as eu de la chance à la frontière, car tu aurais pu avoir de sérieux problèmes !

Je suis content d'apprendre que je n'ai pas eu de problèmes à la frontière ! S'il savait ! Cependant, ça ne sert à rien de ressasser les événements passés. Moi, c'est l'avenir qui m'intéresse.

— Mais, vous, qu'en dites-vous ? Pensez-vous que ça peut valoir quelque chose ?

— Écoute. Cette statue est magnifique et en excellent état. Mais je ne suis pas spécialiste. Il faudrait que tu consultes un expert. Je connais un évaluateur d'œuvres d'art. Si tu veux, on pourrait aller le voir. Il suffit de prendre rendez-vous.

— Est-ce que je pourrais lui téléphoner ? Je voudrais régler cela le plus vite possible.

— Je vais l'appeler moi-même. Sans vouloir t'offenser, je ne crois pas qu'il daigne prendre ton appel au sérieux.

— Pas de problème. Si vous pensez que c'est mieux comme ça, lui dis-je en remballant le précieux colis. Tenez-moi au courant.

— Alors, à demain, Francis, et fais attention de ne pas l'oublier quelque part.

— Pas de danger ! J'y tiens.

M. Dupré a obtenu un rendez-vous le lendemain même, après l'école. Il m'a même offert de m'accompagner jusqu'à l'endroit où l'expert travaille.

— Il a l'air un peu hautain, M. de Saint-Apollinaire, mais c'est un grand connaisseur, m'explique-t-il dans l'auto.

— C'est quoi au juste, sa profession?

— Il est commissaire-priseur et évaluateur. C'est lui qui détermine la mise à prix des objets d'art mis aux enchères.

Nous sommes reçus par une secrétaire âgée et un peu pincée, qui nous fait patienter dans l'entrée. Il fait sombre là-dedans et ça sent la poussière. Les murs sont recouverts de boiseries. Un peu de lumière se fraie un chemin à travers le verre biseauté des portes massives. Tout ici doit avoir l'âge de mon arrière-grand-père, au moins. Le plancher inégal craque, annonçant enfin l'arrivée de quelqu'un.

Victor de Saint-Apollinaire fait son apparition en nous lançant, avec un fort accent parisien:

— Messieurs désirent?

M. Dupré se lève et lui tend la main en se présentant.

— Ah oui, monsieur Dupré. Que me vaut l'honneur?

— Bien, voilà, ce jeune homme a en sa possession une statuette qu'il aimerait faire évaluer.

— Je vois... et vous avez l'objet, monsieur...?

— Pelletier, Francis Pelletier, lui dis-je en sortant la statuette d'une boîte à chaussures.

J'ai répondu à la James Bond. Lui m'avait questionné à la Sherlock Holmes. On a l'air de trois personnages guindés, sortis tout droit d'un film en noir et blanc.

L'expert dépose la statuette sur un coussin de velours noir et allume une lampe suspendue au-dessus de la table. Il ne dit rien. Il se contente de la manipuler d'une main. De l'autre, il tortille sa moustache à la «Dupont T». Quelques minutes plus tard, il finit par se prononcer après avoir retiré ses lunettes et replacé la statue sur l'oreiller:

— Vous avez là un objet très intéressant, monsieur Tremblay.

— Pelletier, dois-je rectifier.

— Il s'agit fort probablement d'une statuette nayarit de la période préclassique. Sa fabrication doit remonter à environ cent ou deux cents ans avant Jésus-Christ.

— Et qu'est-ce que ça représente au juste?

— Un homme assis est en train de boire à l'aide d'un tube recourbé qu'il plonge dans un récipient. Il s'agit probablement d'une boisson alcoolisée dont la consommation faisait partie des rites funéraires de ce peuple.

Il a l'air assez calé, l'expert… mais ce qui m'intéresse surtout, c'est ce que ça vaut.

— Est-ce que ça peut se vendre ?

— Vous êtes sûr de vouloir la vendre ? Ce genre d'objet peut prendre beaucoup de valeur. Il est très rare d'en découvrir un dans un tel état de conservation. Au fait, où l'avez-vous trouvée ?

— Dans un dépotoir, au nord du Mexique.

— Cela a du sens, répond-il. Les Nayarits habitaient le territoire mexicain. Sans vouloir être indiscret, qu'avez-vous fait pour passer les douanes ?

— Rien de spécial. Les douaniers s'intéressent davantage aux certificats de vaccination des animaux domestiques, on dirait.

M. Dupré commence à s'impatienter. Il lui redemande :

— Pensez-vous pouvoir en obtenir quelque chose lors de la prochaine vente aux enchères, monsieur de Saint-Apollinaire ?

— Non, malheureusement. Ici, le marché est trop petit pour ce genre d'article. Mais, si monsieur… ?

— Pelletier.

— Oui, c'est ça, Pelletier… Si monsieur Pelletier obtient l'autorisation de ses parents, je peux l'apporter à New York pour la présenter aux enchères d'antiquités précolombiennes qui se tiennent annuellement chez Christie's.

— Chez Christie's? renchérit M. Dupré, enthousiaste et tout énervé. Mais c'est très bien, ça!

— Je préfère tenir ma mère en dehors de cette affaire, dis-je. Elle s'inquiète facilement, vous savez. Il n'y aurait pas moyen de s'arranger autrement... sans papier ni rien?

L'expert continue à jouer avec sa moustache, réfléchissant à une autre solution.

— Écoutez. Je peux vous offrir huit mille dollars comptant. C'est à prendre ou à laisser. J'avoue que je n'aime pas tellement faire ce genre d'arrangement, surtout avec un mineur...

Huit mille dollars! Je suis éberlué. Jamais je n'avais espéré autant d'argent. Avec une telle somme, non seulement je vais pouvoir aller chercher Rosa, mais de plus, elle pourra s'installer convenablement sans demander d'argent à personne. C'est vraiment super! C'est comme si j'avais gagné à la loterie! Je n'arrive pas à y croire!

Je remercie M. de Saint-Apollinaire qui m'explique qu'il n'aura la somme promise que dans quelques jours. Ce qui me donne tout juste le temps de me trouver un billet d'avion pour Mexico et surtout de convaincre maman de me laisser repartir.

L'antiquaire remballe la statuette en ajoutant :

— Donc, on se revoit… disons… jeudi matin. En attendant, soyez discret. Je ne fais pas ce genre de combine d'habitude.

Je suis fou de joie ! Cependant, sur le chemin du retour, M. Dupré me ramène brutalement à la réalité en m'expliquant que je viens sans doute de me faire rouler.

— Comment ça, me faire rouler ? Huit mille dollars comptant, ce n'est pas rien cela !

— Oui, mais c'est peut-être seulement le quart de la valeur réelle. C'est lui qui va la revendre et faire un gros profit.

Il a sûrement raison. Après tout, comme tout le monde, cet antiquaire cherche à gagner de l'argent. C'est son travail. M. Dupré rajoute :

— Mais pourquoi ne fais-tu donc pas plus confiance à ta mère ? Elle pourrait revenir avec toi, signer les papiers et tout serait légal. Ce serait tellement plus simple, il me semble.

Je soupire. Puis, après quelques secondes de réflexion, je lui explique :

— Écoutez. C'est pas toujours facile de s'entendre avec elle. Souvent, elle me traite comme un enfant. Mais, en même temps, c'est elle qui est naïve et même un peu fragile.

Depuis la mort de mon père, on dirait que tout l'inquiète. Alors, j'essaie de la ménager un peu…

— Justement, elle aurait sûrement été très contente que tu reçoives tout cet argent!

— Oui, mais je ne veux pas lui en parler. Enfin, pas maintenant, car cet argent n'est pas pour moi.

— Écoute, Francis. Je ne suis vraiment pas à l'aise de te laisser manigancer ainsi dans le dos de ta mère. Tu dois absolument faire confiance aux adultes qui t'entourent si tu veux recevoir de l'aide et des conseils. Alors, je te demande de tout raconter à ta mère dès ce soir, sinon je rappelle l'expert pour tout annuler.

De toute évidence, M. Dupré a raison. Il faut que j'explique mon problème à maman. C'est vrai qu'elle a le droit de savoir ce qui se passe et je dois admettre que je me sens plutôt dépassé par la situation. Je réponds donc à mon professeur :

— D'accord, je vais lui parler.

— C'est mieux, tu prends une bonne décision.

Satisfait, il me dépose devant une station de métro après que je l'ai eu remercié. Il est vraiment correct, ce type!

16

DIS-LE, PARLE !

En arrivant à la maison, je trouve maman dans le jardin en train d'arroser ses fleurs. Je me verse un verre de lait et attrape deux biscuits avant d'aller m'installer dehors, sur la terrasse.

— Maman ! Tu veux venir t'asseoir deux minutes ? Il faut que je te parle.

Immédiatement, elle lâche le boyau et se dirige vers moi, l'air inquiet.

— Qu'est-ce qu'il y a ?

J'hésite. J'avoue ne pas trop savoir par où commencer. Je prends une gorgée de lait, me racle la gorge et finis par lui dire :

— C'est au sujet de la fille qui s'est cachée dans l'auto, à la frontière.

— Tu la connais ?

— Euh, oui, un peu… même beaucoup.

— Je le savais ! Je me doutais bien qu'elle n'avait pas choisi notre voiture au hasard et qu'elle devait bien avoir un complice.

— Et tu ne m'as pas questionné ?

— Je te connais bien, tu sais. J'attendais que tu m'en parles par toi-même.

Elle me dit cela doucement, en posant sa petite main sur la mienne. Cela m'encourage à continuer. Je lui raconte tout pour Rosa, la statuette et l'argent. Je lui explique aussi que je souhaite partir le plus tôt possible pour aller la chercher.

Pour une fois, elle m'écoute sans m'interrompre. Elle ne fait que hocher la tête. Quand je termine mon récit, elle me prend par le cou et me déclare gentiment :

— Pauvre Francis, comme tu dois avoir de la peine. Mais pourquoi ne m'as-tu rien dit plus tôt ? J'aurais compris, tu sais. Je sais ce que c'est de s'ennuyer d'une personne chère. Ça fait presque dix ans que je m'ennuie de ton père…

— Je sais, maman, mais tu as déjà bien assez de tes problèmes… et je ne voulais pas t'inquiéter inutilement avant que ce soit nécessaire.

Elle fait une pause, réfléchit et me dit calmement :

— Vas-y à Mexico, tu es assez grand pour savoir ce que tu dois faire. Quant à moi, je prendrai rendez-vous avec l'antiquaire pour que tu puisses obtenir le meilleur prix pour ta statuette. J'irai bien sûr avec toi à l'aéroport pour m'occuper des formalités. Va la chercher, ta Rosa. Ainsi, tu vas être plus heureux et moi aussi. J'ai si hâte de revoir ton sourire.

Je la prends par le cou et je l'embrasse de tout mon cœur sur la joue. Nous restons ainsi, collés l'un contre l'autre, profitant de cette étreinte réconfortante.

Je ferme les yeux et m'imagine être avec Rosa. Peut-être que maman a aussi, pendant quelques secondes, l'impression de retrouver les bras de papa, car son regard est tout embué. Je la remercie et j'aimerais ajouter que je l'aime, mais je suis mal à l'aise. J'espère cependant qu'elle le sait, parce que vraiment je l'adore, ma petite maman.

C'est là que je me rends compte que j'aurais dû lui faire confiance bien avant. Ça fait du bien de se confier à quelqu'un quand on en a gros sur le cœur.

Enfin, j'ai eu des nouvelles d'Enrique par Internet. Il voulait savoir comment ça s'était passé pour Rosa, à la frontière! Dans son message, il m'explique qu'il a encore confronté son père au sujet de ses activités et que celui-ci s'est de nouveau mis en colère. Enrique se demande comment il se fait qu'il n'ait pas compris tout cela avant. «J'aurais dû m'en rendre compte tout seul, c'était pourtant assez évident quand on y pense bien», écrit-il.

Bref, leur discussion a pris fin quand Enrique a dit à son père qu'il ne lui reparlerait que quand il aurait cessé ses activités dégradantes. Dommage que cela finisse comme ça. Des fois, je me demande si je n'aurais pas dû laisser faire et ne rien dire. Tant pis, il est trop tard maintenant pour revenir en arrière et de toute manière, c'était plus fort que moi.

Cela fait maintenant trois semaines que j'ai dû abandonner Rosa à la frontière. Grâce à l'intervention de maman, l'antiquaire a pu vendre la statuette et m'a remis la rondelette somme de douze mille dollars. Je suis prêt. J'ai mon billet d'avion en poche et je pars demain après-midi. Hier, j'ai finalement réussi à joindre Enrique au téléphone. Il était vraiment interloqué de m'entendre lui annoncer que j'arriverais dans deux jours à l'aéroport de Mexico. Comme je le souhaitais, il a offert de venir me chercher. Il avait l'air sincèrement désolé pour Rosa et m'a promis d'essayer d'avoir de ses nouvelles par Eduardo qui travaille toujours à l'infirmerie.

J'ai tellement hâte de retrouver Rosa ! Mais, en même temps, je suis inquiet et nerveux. Je ne voudrais pas rater mon coup une seconde fois. Ça devrait être plus simple cette fois-ci, car maintenant j'ai de l'argent : ce qui fait toute une différence. Si je m'en sers intelligemment, je vais pouvoir payer des gens, en soudoyer d'autres, bref, m'organiser pour acheter la liberté de Rosa si elle le veut toujours, bien entendu. Belle preuve que l'argent reste, quoi qu'on en dise, indispensable en ce bas monde. En attendant, je vais me coucher ; la journée de demain risque d'être bien remplie.

Le vol se déroule sans problème. Chose certaine, c'est pas mal plus rapide que l'auto !

Enrique m'attend dans le hall de l'aéroport, tel que prévu. À voir son air misérable, j'ai le pressentiment que quelque chose ne tourne pas rond. Il n'ose pas me regarder dans les yeux et c'est à peine s'il me parle, lui qui est si volubile d'habitude. J'imagine qu'il m'en veut à cause de la brouille avec son père. Après tout, c'est moi qui ai déterré toute cette sordide histoire. Dans le stationnement de l'aéroport, je décide de rompre le silence en lui demandant carrément :

— Qu'est-ce qu'il y a, Enrique ? Ça ne va pas ?

— Moi, oui…

— Alors, c'est à cause de ton père, tu m'en veux, c'est ça ?

— Non, Francis… tu as fait ton devoir, c'est tout. Et puis, je m'en serais rendu compte par moi-même à un moment donné.

— C'est quoi, alors ?

Tout à coup, je sens l'angoisse me tordre le ventre. Devant son silence, j'insiste et hausse le ton :

— Réponds, merde ! C'est pas Rosa, j'espère ?

Pour la première fois, depuis mon arrivée, son regard croise le mien. Devant mon désarroi, il finit par me répondre :

— Je n'ai rien pu faire, Francis. Eduardo non plus. Il est arrivé trop tard et il n'y avait plus d'antibiotiques.

Je le saisis par son chandail. Mes mains s'agrippent à ses vêtements comme les serres d'un vautour dans le pelage de sa proie. Je le secoue, comme on secoue un vulgaire sac de patates, afin de lui extirper au plus vite chaque parcelle de vérité.

— Tu es arrivé trop tard pour quoi? Quels antibiotiques? De quoi parles-tu? DIS-LE, PARLE!!!

— Elle… elle s'est fait opérer. Elle a vendu un rein. Elle voulait faire comme son voisin et acheter son passage vers le nord. Je ne le savais pas, je te le jure.

Mon cœur cesse de battre. Il parle d'elle au passé! Je lâche Enrique et retombe sur mon siège en fixant le vide devant moi, cherchant à inspirer une bouffée d'air qui n'existe plus. Mon cousin continue, tout bas:

— Après ton appel, quand j'ai demandé de ses nouvelles à Eduardo, il est allé voir chez elle. Elle était déjà très malade. Sa plaie s'était infectée. Une septicémie, probablement. Elle… elle est morte cette nuit. J'ai essayé de te prévenir dès que j'ai su, mais tu étais déjà parti. Je regrette, Francis.

Sa voix se brise. Il ne sait plus quoi dire. Il n'y a plus rien à dire de toute façon. Une douleur atroce me serre la poitrine et la tête. J'étouffe de plus en plus. Après de longues minutes, Enrique met le moteur en marche et me dit gentiment:

— Je vais te conduire là-bas. Elle n'est pas seule, il y a des voisins avec elle. Eduardo a fait son possible, j'en suis sûr, ajoute-t-il comme si ça pouvait atténuer ma peine.

Nous faisons le trajet jusqu'à Monterrey en un temps record. Un terrible silence règne dans l'automobile. Seul le bruit du moteur, poussé à fond, meuble ma souffrance. Je croyais que la mort m'avait immunisé contre la mort. Je n'imaginais pas que j'aurais à endurer encore une fois une si grande peine. C'est trop injuste. Mais on dirait que la vie en a décidé autrement. Pourquoi le sort s'acharne-t-il ainsi sur moi ? Comme si la souffrance morale pouvait devenir une habitude qui nous rendrait tolérant aux douleurs de l'âme. Ce que je ressens aujourd'hui est encore pire, parce que je réalise davantage l'ampleur du drame auquel je suis lié pour le reste de mes jours.

Je sais pertinemment que Rosa deviendra bientôt, comme papa, un souvenir diaphane, une blessure, que je porterai en moi. Désormais, je serai amoureux d'un fantôme qui logera dans mon esprit.

Nous arrivons au bidonville à la tombée du jour. Je remonte la ruelle comme je l'ai fait tant de fois cet été. Comme je regrette ces journées insouciantes où je parcourais ces derniers mètres le cœur léger, débordant d'allégresse à l'idée de la retrouver.

Aujourd'hui, l'euphorie a fait place au désespoir et j'ai l'impression d'escalader le Golgotha, de marcher à reculons vers ma propre agonie.

17

ROSA
DE SAINT-EXUPÉRY

Ils m'ont laissé seul avec elle. Le soleil se couche. Ses rayons orangés, obliques, pénètrent la petite pièce sombre par les interstices entre les planches. Ils tracent dans l'air poussiéreux des rayures dorées qui forment des zébrures sur son visage et ses bras. On dirait qu'elle dort, et j'ose à peine respirer, de peur de la réveiller. J'écoute le silence qui m'entoure, qui m'envahit de l'intérieur et des larmes énormes roulent enfin sur mes joues, liquéfiant ma douleur, libérant le nœud qui étreint ma gorge.

Je m'agenouille près d'elle et blottis ma tête au creux de ses cheveux. J'ai tant de choses à lui dire. Rosa, pourquoi as-tu fait ça ? Je ne t'aurais pas laissée ici, voyons. Tu sais bien que je voulais revenir te chercher. Mais j'avais besoin de l'argent, toujours le maudit argent qui mène le monde, qui pousse Carlos à commettre ces atrocités dans le but soi-disant «d'aider les gens», l'argent dont tu avais tant besoin pour quitter cet enfer, et qui était indispensable pour que je puisse revenir, Rosa. Je ne pouvais pas faire plus vite. Je devais d'abord vendre la statuette, Rosa. C'était pour toi, tout cet argent, pour que tu puisses choisir une nouvelle vie. C'est encore et toujours ce même maudit argent qui manquait au dispensaire pour te soigner. C'est de la faute à l'argent, Rosa, l'argent qui manque, l'argent qui tue, l'argent qui arrive trop tard, toujours trop tard... Pardonne-moi puisque tu ne peux plus m'aimer, pardonne-moi pour que je puisse continuer à vivre et te porter dans mon cœur... et je pleure, je pleure, seul dans cette noirceur moite qui m'enveloppe.

Enrique est venu me chercher à l'aube. Il m'a trouvé endormi, la tête toujours appuyée contre elle. Il a apporté un brancard qu'il a laissé par terre, devant l'entrée. Il me parle avec douceur :

— Allons, Francis, il ne faut pas rester là. Viens, on va s'occuper d'elle.

Je lève les yeux et aperçois la Vierge de La Guadelupe qui me regarde, la tête inclinée, le sourire triste. Je la décroche du mur et l'installe à plat entre les mains de Rosa. Je dispose autour du cadre la guirlande de fleurs de plastique décolorée qui était restée au mur, accrochée au clou rouillé. Rosa lui ressemble maintenant, avec sa tête penchée sur le côté et ses petites mains jointes.

— Voilà, tu pars avec elle. Puisque tu n'as pas su l'aider pendant sa courte vie, tâche de l'accompagner pour l'éternité. Elle mérite beaucoup d'amour et moi, je n'ai pas eu le temps de lui en donner.

Enrique a disposé un drap blanc sur le brancard. Nous la soulevons délicatement et la déposons sur ce lit immaculé. Ses cheveux noirs s'étalent autour d'elle comme un éventail ; je replace une mèche qui tombe sur ses yeux et dépose un dernier baiser sur son front soyeux.

Puis Enrique replie le linceul par-dessus elle, me voilant son visage à tout jamais. Et je pleure encore.

Un attroupement se forme autour de nous, des femmes, des enfants qui connaissaient Rosa, et ils restent là, silencieux, impuissants, stoïques, habitués à ce spectacle qui fait malheureusement partie de leur réalité. La fatalité se lit dans leur regard sombre comme si, pour eux, la mort était depuis longtemps apprivoisée. Moi, je ne m'y ferai jamais.

Je ramasse les quelques livres et objets qui trônent, inutiles maintenant, sur l'unique tablette. Eux aussi accompagneront mon amour dans son dernier voyage.

Et c'est ainsi que nous quittons ce lieu maudit, transportant ce précieux fardeau. Nous nous rendons à pied, escortés seulement de quelques chiens errants, jusqu'au terrain vacant qui longe une voie ferrée et qui sert de cimetière aux plus pauvres parmi les pauvres. Avec un voisin, Enrique y a creusé une fosse.

— Ne t'inquiète pas, dit-il, je reviendrai planter une croix pour qu'on sache où elle est. Connais-tu son nom de famille?

— Elle n'avait pas de famille, Enrique. Elle ne m'a jamais mentionné son nom. Elle avait si peu de choses. Pourquoi s'encombrer d'un nom de famille quand on passe ses journées dans un dépotoir?

Je dispose autour d'elle ses livres adorés. Il ne reste que le cadre du Petit Prince. J'hésite à le mettre en terre avec les livres.

— Saint-Exupéry, dis-je à Enrique.

— Quoi?

— Écris sur la croix: Rosa de Saint-Exupéry. Comme la rose du Petit Prince, elle est unique au monde.

— Bien, répond-il sans poser davantage de questions.

Et je glisse l'effigie du garçonnet blond sous mon t-shirt, image tailladée par le verre fêlé, image de l'innocence abîmée que je souhaite pourtant conserver en souvenir d'une fleur qui m'a un jour apprivoisé.

Enrique me laisse sa chambre pour quelques jours «afin que je puisse me reposer». Il est aux petits soins avec moi. Heureusement qu'il est là, sinon je pense que je n'aurais pas pu passer à travers cette épreuve. J'ai hâte de repartir. Ici, tout me fait penser à elle. Et je supporte très mal d'habiter la maison d'un monstre qui se prend pour un sauveur de l'humanité. C'est à peine si j'ose regarder dehors, de peur de croiser le regard inquiet d'un des patients du célèbre Dr Carlos Gomez.

Je ne veux plus aller dans la cour. L'image de cette piscine me nargue, avec sa forme de rein, de rein unique. Quelle belle enseigne pour un néphrologue crapuleux! Trop de choses ici me font du mal. Il n'y a que ma grand-mère qui réussit à comprendre un peu ma souffrance et à m'apaiser. Elle me cuisine mes plats préférés et s'installe avec moi, dans la chambre d'Enrique, pour me montrer d'anciennes photos de famille craquelées qu'elle sort d'une vieille boîte en fer-blanc. Chère grand-maman, je ne sais pas quand je la reverrai.

Mon avion part demain matin. La nuit dernière, j'ai pris deux décisions. D'abord, je ramène Pacha à Cynthia. Il n'a plus de raison de rester ici puisque Rosa n'est pas là-bas. Dans mon plan initial, je voulais faire un échange : le chien reste ici, mais Rosa part avec nous. Cynthia aurait compris, enfin je l'espère. Mais là, rien n'a fonctionné. Il n'est donc pas nécessaire que je prive inutilement Cynthia de son toutou.

Ensuite, plus important, j'ai décidé de laisser l'argent ici. J'ai déposé l'enveloppe dans un tiroir d'Enrique, sous ses t-shirts pliés et classés par couleur. Cet argent appartient au Mexique. En vendant la statuette à des étrangers, j'ai pour ainsi dire dilapidé une partie, si petite soit-elle, du patrimoine de ce pays. Au moment de la vente, ce geste me paraissait tout à fait justifié, car, exactement comme pour Pacha, la statuette devait me servir de monnaie d'échange. Sa vente était indispensable à la réussite de mon plan B. Or, maintenant que Rosa n'est plus et que la statuette est irrécupérable, il faut au moins que l'argent reste ici et qu'il serve aux Mexicains les plus démunis, c'est la moindre des choses.

Ces détails étant réglés, je me sens mieux. J'ai juste hâte de reprendre l'avion, de retrouver maman et ma vie normale, d'abandonner tous ces souvenirs douloureux derrière moi.

L'avion se pose enfin à Dorval ! Je récupère le chien qui m'en fait voir de toutes les couleurs, tellement il est excité. J'aperçois maman qui m'attend derrière les portes vitrées de l'aéroport. Elle est visiblement soulagée de me voir de retour. Elle a dû beaucoup s'inquiéter.

Elle me serre contre elle, comme quand j'étais petit et qu'elle me laissait à la garderie. Elle ne me pose aucune question. J'apprécie sa délicatesse. On dirait qu'elle me traite enfin en adulte. Ça me fait du bien. Pacha saute partout ! Il est heureux de participer aux retrouvailles.

Une heure plus tard, je retrouve ma chambre avec bonheur. Tout y est tel que je l'avais laissé lors de mon départ. Mes manuels

scolaires traînent sur mon bureau et me rap-
pellent que l'école m'attend demain et que
j'ai une semaine complète à rattraper. Tant
pis! On verra cela en temps et lieu.

J'ouvre la fenêtre pour laisser pénétrer
un peu de l'air vif de septembre et je commence à défaire mon sac. Entre deux chan-
dails, un Petit Prince attend patiemment de
voir la lumière du jour. Après avoir frotté du
revers de ma manche la vitre poussiéreuse
qui voile son regard, je l'installe précautionneusement sur ma table de chevet, à côté de
mon radio-réveil.

« Tu seras bien ici et désormais tu m'aideras
à faire la différence entre les choses impor-
tantes et secondaires, à trier l'essentiel de
l'accessoire. Et puis, tu seras moins seul sur
ta petite planète, car, tu sais, moi aussi j'ai parfois l'impression d'être seul, même si ma
planète est grande. »

Puis je m'installe à l'ordinateur pour
envoyer un courriel à Enrique.

Cher cousin,

*Tu trouveras dans le troisième tiroir de ta
commode une enveloppe contenant un peu
plus de onze mille dollars provenant de la vente
de la statuette. Je te les confie, car je connais
ton sens de l'honneur et ton honnêteté. J'avoue
qu'au début ça me tapait un peu sur les nerfs,
mais aujourd'hui je réalise à quel point tes qua-*

lités me sont précieuses. Je veux que tu utilises cet argent pour le dispensaire et que tu t'assures qu'il y a toujours assez de médicaments pour soigner tout le monde.

Essaie de ne pas trop en vouloir à ton père. C'est son ambition qui l'a mené là. La même ambition qui t'habite, mais dont tu te sers intelligemment, pour en faire profiter les autres qui n'ont pas ta chance d'étudier. Dans le fond, l'argent de ton père, quelle que soit sa provenance, te sert à accomplir tes rêves. Tu l'utilises comme un moyen pour arriver à tes fins. Lui, il a fait de l'argent son objectif premier. Ça l'a rendu aveugle. Essaie tout de même de lui pardonner. Un père, c'est unique et précieux et sans doute qu'un jour, il devra rendre des comptes devant la justice de Dieu ou celle des hommes et, ce jour-là, il aura besoin de toi.

Quant à moi, j'ai pris une résolution cette année. Je vais être plus sérieux à l'école et surtout, je vais travailler plus fort en français, car je vais écrire un livre. Un livre qui racontera mon voyage au Mexique et qui fera connaître Rosa à plein de gens pour que tout le monde sache combien je l'aime et que je ne sois plus seul à la pleurer.

Finalement, je te demande un dernier service. Pourrais-tu, de temps en temps, aller pour moi au cimetière et y déposer des fleurs pour Rosa.

Gracias,
Francis

TABLE DES MATIÈRES

ANNIE

VINTZE

Annie Vintze est née à Québec mais elle habite la région de Montréal depuis sa petite enfance. Très tôt, elle a été initiée aux plaisirs des voyages par son père hongrois et sa mère canadienne française. Après avoir étudié la biologie, l'histoire et la littérature, elle a décidé d'entreprendre une carrière d'enseignante au secondaire. Depuis quinze ans, ses échanges quotidiens avec ses étudiants et sa passion pour la lecture l'ont naturellement menée vers l'écriture pour adolescents. De plus, la naissance de ses deux filles a éveillé chez elle un intérêt pour les questions d'éthique et de justice sociale. Elle enseigne l'histoire au collège Letendre, à Laval.

Collection Conquêtes